CW00820773

« … L'amour leur souriait, mais la fatale épouse
Emportait avec elle et sa fureur jalouse
Et les philtres d'Asie et son père et les Dieux. »

Extrait du poème de J. M. de Heredia
« Jason et Médée » (*Les Trophées*)

MÉDÉE
LA MAGICIENNE

Collection dirigée par Marie-Thérèse Davidson

Conforme à la loi n° 49956 du 16 juillet 1949
sur les publications destinées à la jeunesse
ISBN 978-2-09-282623-2

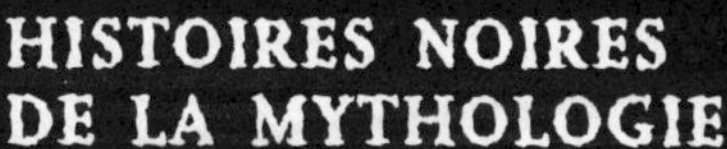

MÉDÉE LA MAGICIENNE

Valérie SIGWARD
Illustrations : Élène USDIN
Dossier : Marie-Thérèse DAVIDSON

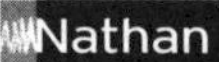

*Les * dans le texte renvoient au lexique en fin d'ouvrage.*

Ire PARTIE

LA COLCHIDE

PROLOGUE
LE BÉLIER D'HERMÈS

Une enfant est assise sur la grève et regarde l'horizon. Une ville aux murailles crayeuses surplombe le rivage, l'enfant lui tourne le dos. Colchos n'a plus de secret pour elle, elle en a arpenté chaque rue et peut s'y promener les yeux fermés. Mais ce jeu a vite perdu tout intérêt, à quoi bon errer les yeux fermés lorsque l'on connaît par cœur ce que les paupières cachent. Ce qui reste à découvrir, c'est l'horizon. Peut-être aujourd'hui y verra-t-elle apparaître une voile. Peu de navires arrivent à Colchos, car pour cela il faut franchir les Symplégades et ces deux falaises mouvantes broient les navires qui s'aventurent entre elles. Il faudrait pouvoir arriver en Colchide par les airs, hélas, aucun humain n'a encore percé le secret des oiseaux. L'enfant est magicienne. Sa tante Circé* connaît les incantations qui obligent les étoiles à descendre du ciel et c'est elle qui lui enseigne le pouvoir des plantes, des herbes et comment fabriquer des philtres et des onguents. La petite fille apprend vite, et chacun des nouveaux pouvoirs qu'elle découvre la grise. Plus tard, elle pourra commander aux éléments et faire venir la nuit en plein jour si cela lui chante.

Mais pour l'heure, elle s'ennuie. Quel plaisir ce serait de rencontrer ceux qui habitent les contrées qui s'étendent au-delà des Symplégades, au-delà de la mer Hostile. Elle passe sa main dans le sable, en saisit une poignée et le regarde glisser entre ses doigts. C'est ainsi que s'écoule le temps, pense-t-elle. Quelques minuscules grains de sable se sont incrustés dans sa paume et révèlent les lignes de sa main. Elle ferme les yeux. Puisqu'elle est magicienne, elle doit pouvoir, par sa seule volonté, faire apparaître un navire à l'horizon. Elle se concentre. Au bout d'un moment elle ouvre les yeux et scrute la ligne qui sépare l'eau et la terre. Son cœur bondit de joie et elle se relève vivement : il y a comme une petite tache au loin. Elle cligne des yeux, le soleil est haut dans le ciel et il n'est pas rare qu'il provoque des visions, faisant se mouvoir sur l'eau d'étranges formes qui disparaissent comme par enchantement.

Non, elle en est sûre, il y a quelque chose et cette chose se dirige vers le rivage. Bientôt la vision se précise, c'est un bélier magnifique à la toison d'or, sur son dos est juché un jeune garçon qui serre avec force les boucles dorées de la bête pour ne pas tomber. L'animal se pose en douceur sur la grève et le garçon en descend. Il titube et tombe à genoux dans le sable. La petite fille se précipite vers lui, le garçon est un peu plus vieux qu'elle et il semble épuisé.

– De quel pays viens-tu ? demande-t-elle avec impatience.

– De Grèce, répond le garçon hébété.

– De Grèce ? Où se trouve ce pays ?

Le garçon montre l'horizon du doigt :

– C'est là-bas, très loin, je ne sais pas. Nous avons traversé des fleuves, plusieurs mers et j'avais peur de tomber.

– Pourquoi as-tu traversé les mers ?

– On voulait me sacrifier*. Les récoltes étaient mauvaises et l'oracle* a dit qu'il fallait sacrifier le fils du roi. Sur les prières de ma mère, Hermès* a envoyé ce bélier à la toison d'or. Il nous a enlevés moi et ma sœur et emportés sur son dos…

À ces mots, il fond en larmes.

– Pourquoi pleures-tu ?

– Ma sœur Hellé est tombée à l'eau alors que nous survolions un grand fleuve.

– Comment t'appelles-tu ?

– Phrixos, répond le jeune garçon en essuyant ses larmes, et toi ?

– Médée, je suis la fille du roi Æétès et tu es ici en Colchide.

Elle lui prend la main :

– Viens, je t'emmène chez mon père, il s'occupera de toi…

CHAPITRE 1

TOUS LES MATINS, JE COMBATS CENT GUERRIERS

– Ainsi, tu as fait ce périlleux voyage depuis Iolcos pour venir me prendre la Toison d'or ? demande le roi Æétès au jeune homme qui se tient devant lui.

Le jeune homme dont le visage est dans la pénombre acquiesce.

La salle dans laquelle ils se tiennent est éclairée par des flambeaux qui dégagent une fumée âcre. Elle est gardée par des hommes en armes dont les ombres dansantes semblent démesurées. Les soldats d'Æétès dégainent leurs épées, le bruit de la ferraille est assourdissant. Æétès, d'un geste de la main, retient ses hommes :

– Un autre a déjà fait le voyage depuis la Grèce, il y a bien longtemps. Phrixos m'a offert le bélier d'Hermès en remerciement de mon hospitalité, c'est lui-même qui l'a sacrifié. La Toison d'or a apporté la paix et la prospérité en Colchide, c'est notre bien le plus précieux et tu voudrais que je m'en dépouille pour toi ? Quelle sorte de fou es-tu ? Approche-toi que je voie ton visage !

Le jeune homme avance d'un pas, une peau de panthère lui couvre les épaules et son visage ruisselle de sueur.

– Quel est ton nom ? demande Æétès.

– Je suis Jason, fils d'Æson. Mes compagnons m'attendent à bord de l'*Argo*, mon navire. En échange de la Toison d'or, nous sommes prêts à accepter tout ce que tu nous imposeras, si tu as des ennemis, nous les vaincrons pour toi…

Æétès se lève, il est massif et dépasse Jason d'une tête, il crache par terre, Jason ne bouge pas mais il serre les poings.

– Je n'ai pas besoin de toi pour vaincre mes ennemis ! gronde Æétès. J'ignore comment tu as pu arriver jusqu'aux portes de mon palais, certains disent qu'un brouillard épais t'enveloppait, sans doute les dieux te protègent-ils ! ajoute-t-il avec mépris.

– Si tu ne crois pas au pouvoir des dieux, donne-moi la Toison d'or, puisqu'elle vient d'eux !

Aussi brutalement qu'il s'est emporté, Æétès change d'humeur, Jason croit même voir un léger sourire se dessiner sur ses lèvres.

– Tu veux la Toison d'or ? Soit. Je vais te dire comment l'obtenir. Écoute-moi bien Jason. Tous les matins, je combats cent guerriers. Auparavant, en bon cultivateur que je suis, j'ai semé les mauvaises graines dont ils sont issus. Pour cela, je laboure un champ grâce à deux braves compagnons, des bêtes magnifiques mais dangereuses, deux taureaux aux sabots d'airain. Ils n'ont de cesse, tant que je ne les ai pas harnachés, de cracher des flammes…

– Je compatis, l'interrompt Jason ironiquement, la vie semble bien difficile en Colchide.

– Seuls les plus courageux survivent en effet.

Æétès s'avance vers Jason le poing fermé comme s'il allait le frapper. Jason lui attrape le poignet au vol. Æétès résiste, les veines de son cou se mettent à gonfler, Jason lui tord le bras violemment, Æétès n'a pas un cri, les deux hommes se jaugent, les soldats sont immobiles et semblent se désintéresser de la lutte comme s'ils en connaissaient l'issue. Soudain Æétès éclate de rire et ouvre la main, quelque chose en tombe, Jason regarde le sol et ce qui lui semble être des osselets jaunis par le temps. Æétès se dégage et se masse le poignet, il montre le sol du menton :

– Ce sont les mauvaises graines dont je t'ai parlé.

Jason se baisse et ramasse un des osselets. Il le fait tourner entre ses doigts, il est pointu, presque effilé.

– Qu'est-ce que c'est ?

– Des dents de dragon, inoffensives tant qu'elles n'ont pas touché la terre. Le sang que j'y fais couler tous les jours est un fertilisant prodigieux, mes guerriers y poussent avec une rapidité étonnante. Mais je ne suis pas seulement un bon cultivateur, je suis aussi un guerrier. Si tu es capable de faire ce que je fais tous les jours : mettre deux taureaux furieux sous le joug, labourer le champ, y semer les dents de dragon, regarder sans peur cent guerriers jaillir de la terre et les vaincre jusqu'au dernier, si tu es capable de faire ce que je fais tous les jours une fois, une seule fois Jason fils d'Æson, alors la Toison d'or sera à toi !

Les épaules de Jason s'affaissent sous le poids du défi que lui lance Æétès.

– Quel besoin as-tu de me faire croire que tu combats ces guerriers ? Tu sais parfaitement que c'est impossible !

– Bien sûr que c'est impossible, sinon pourquoi te demanderais-je de le faire ! Je ne veux pas te donner la Toison d'or mais je te laisse cependant une chance infime de l'obtenir. Aurais-tu peur ? Peut-être préfères-tu regagner la Grèce à bord de ton magnifique navire ? Quelquefois le véritable courage consiste simplement à mesurer ses capacités et à prendre la bonne décision. Dans ton cas, la bonne décision semble être la fuite. Si tu pars immédiatement, demain matin tu seras loin, je ne prendrai même pas la peine de te pourchasser.

– Demain matin, je serai dans ton champ, prêt à combattre et j'emporterai la Toison d'or.

– C'est ce que nous verrons. Au moins aurai-je le plaisir d'assister à un spectacle distrayant. Va-t'en !

Les soldats d'Æétès forment une haie menaçante au milieu de laquelle Jason doit passer pour quitter la salle. Ils frappent leurs boucliers de bronze de leurs épées, d'abord lentement, sourdement, puis de plus en plus vite et de plus en plus fort à mesure que Jason s'avance. Au passage, des soldats tentent de l'atteindre du plat de leur épée, il en bouscule quelques-uns, rend coup pour coup et quitte le palais sous les injures.

– Seigneur, demande un soldat, faut-il l'abattre ?

– Ce n'est pas la peine, les taureaux s'en chargeront, il n'aura pas l'occasion de voir germer les guerriers de la Terre. Ensuite, nous massacrerons ses compagnons.

Derrière Æétès, une tenture est agitée d'un frémissement.

Il la soulève et y découvre une jeune fille. Elle pâlit mais soutient le regard du roi avec audace.

– Ma fille m'espionne ?

– Père, tu dois laisser ces hommes repartir chez eux.

– Ne te mêle pas de cela Médée !

Il lui caresse les cheveux :

– Ne devrais-tu pas être en train de nourrir le gardien de la Toison d'or ?

CHAPITRE 2

LA FILLE DU CHÊNE PARLANT

Jason rejoint ses compagnons. C'est Lyncée qui le voit en premier, sa vue est perçante, on dit même qu'il est capable de voir au travers de la terre et des montagnes.

– Le voilà ! crie-t-il aux autres, et bien vivant !

Lyncée tend la main à Jason pour l'aider à monter à bord de l'*Argo*.

– Plus pour très longtemps, réplique Jason.

– Que veux-tu dire ? demande Lyncée.

– Ce qu'exige Æétès en échange de la Toison d'or est impossible à réaliser ! Si ses soldats avaient pu, ils m'auraient tué avant même que j'ouvre la bouche ! Son palais est une caverne sombre et puante, j'avais l'impression d'étouffer !

– Nous aurions dû t'accompagner, dit Calaïs.

Son frère Zétès déploie ses ailes et les agite, aussitôt un vent frais gonfle les voiles de l'*Argo*.

– Les fils du Vent du Nord, ajoute-t-il en riant, auraient fabriqué l'air qui t'a tant manqué là-bas !

– Allons, dit Lyncée, nous avons déjà vécu des choses bien plus terribles !

– As-tu bien défendu ta cause ? demande une voix grave.

C'est Orphée, il a reçu de sa mère, une Muse* fille de Zeus*, le don de la musique et lorsqu'il chante en s'accompagnant de sa lyre[1], il charme tout ce qui est animé ou inanimé.

– Quelle importance ? Æétès ne nous donnera pas la Toison d'or.

– Lui as-tu seulement parlé de Pélias l'usurpateur ? De son crime, de l'injustice qui t'est faite, de ce trône qui te revient et que tu ne retrouveras qu'à condition de lui rapporter la Toison d'or ?

Jason reste silencieux. Orphée lui pose la main sur l'épaule :

– Ta place est à Iolcos sur le trône de Thessalie.

1. *Instrument à quatre ou sept cordes pincées.*

– C’est aussi ce que je souhaite du fond du cœur, mais je crains que mon oncle ne cède pas si facilement, dit amèrement Jason.

– Tu as choisi de ne pas le combattre par les armes. Tu as choisi de rétablir l’honneur de ton père par un acte de bravoure.

– Ce qui me coûte le plus Orphée, c’est ce que je vous demande, à vous mes amis. Ce sont les épreuves que nous avons dû traverser pour venir jusqu’ici, ce sont les compagnons que nous avons perdus.

– Sans toi Jason nous n’aurions pas traversé des mers jusque-là inconnues. Jamais un marin grec n’avait navigué si loin. Avec toi nous avons franchi les redoutables Symplégades et l’*Argo* ne s’est pas brisé sur ces écueils.

– À quoi me servirait de connaître si bien les étoiles, intervient Tiphys le pilote de l’*Argo*, si je n’ai pas l’occasion d’exercer mon talent, si je ne peux guider personne ?

– Si nous n’avions pas mon frère et moi chassé les Harpyes, dit Zétès, Phineus serait encore obligé de se nourrir des mets souillés par ces maudits vautours à tête de femme !

– Toutes ces choses nous les avons accomplies avec toi, reprend Orphée, et c’est avec toi que nous rapporterons la Toison d’or à Pélias. Que demande Æétès ?

– Je dois soumettre deux taureaux aux sabots d'airain, labourer un champ, y semer des dents de dragon qui donneront naissance à une moisson de guerriers qu'il me faudra combattre jusqu'au dernier.

– Rien que ça ! siffle Zétès entre ses dents.

– Même Héraclès* ne pourrait accomplir un tel prodige ! se désole Tiphys.

– Et pourtant Æétès se vante de pouvoir le faire tous les matins.

– Jason ! appelle une voix de femme, Jason !

Dès qu'il entend la voix, Jason s'empresse de gagner l'avant du navire. Les Argonautes le suivent et tous se rassemblent devant la proue. La proue de l'*Argo* a été sculptée dans une branche du Chêne Parlant du bois de Dodone*. Elle représente une femme majestueuse coiffée d'un casque, son bras droit est tendu vers le ciel, son bras gauche porte un bouclier gravé, on y voit les quatre éléments : la terre, l'air, le feu et l'eau. Son regard est fixe, et pourtant il semble à Jason qu'elle l'observe avec sévérité.

Les lèvres de bois s'entrouvrent, la voix se fait de nouveau entendre, aucun souffle ne l'accompagne :

– Seul, dit la Fille du Chêne Parlant, seul tu ne peux rien, et tu as raison de t'inquiéter…

– Nous irons avec lui et nous combattrons Æétès et ses soldats ! dit Lyncée avec ardeur.

– Non, mon ami, non, je ne peux pas te demander cela.

Jason s'avance vers la proue :

– J'ai plus que jamais besoin de ta sagesse, je t'en prie, dis-moi ce que je dois faire.

– Je n'ai pas le pouvoir de te le dire. Je suis celle qui sait et qui ne sait pas. Je sais qu'Héra* vous protège, toi et tes compagnons. Je sais qu'elle a sollicité l'aide d'Aphrodite* pour te trouver un allié en Colchide. Je ne sais pas qui t'aidera. Garde confiance et prépare-toi à combattre demain.

– Qu'il en soit ainsi, dit Jason.

Et comme il prononce ces paroles, il lui semble que le regard fixe de la Fille du Chêne Parlant s'est adouci.

CHAPITRE 3
LES YEUX DU DRAGON

Les soldats d'Æétès ne se sont pas manifestés. Poussés par la curiosité, quelques Colchidiens sont venus voir de plus près les étrangers arrivés de Grèce, mais ils se sont tenus à distance de l'*Argo*. La nuit est tombée et les Argonautes dorment. Seul Orphée veille. Assis aux pieds de la fille du Chêne Parlant, il chante doucement en s'accompagnant de sa lyre. La lune projette des reflets gris sur les voiles du bateau.

Jason n'arrive pas à dormir, même la voix d'Orphée ne l'apaise pas. Mille fois il s'est imaginé face aux taureaux d'Æétès, seul. Mille fois, il s'est vu piétiné par ces monstres. Le lendemain sera le jour de sa mort. Les Argonautes auront la triste tâche de ramener sa dépouille en Grèce. L'hypocrite Pélias, ravi d'être débarrassé de ce prétendant au trône, lui fera des funérailles grandioses. Des taureaux furieux, voilà la dernière image qu'il emportera avec lui avant de rouvrir les yeux au bord du Styx[1] et de voir Charon lui tendre la main pour recevoir la pièce d'or, le prix de son passage vers l'autre monde. C'est sa dernière nuit sur terre et Jason ne veut pas la passer à dormir. Il quitte l'*Argo* et marche sur la plage. Bientôt la voix d'Orphée n'est plus qu'un murmure lointain. Jason s'approche de Colchos, la ville est plongée dans l'obscurité mais l'horizon brille d'un éclat sinistre. Ce sont d'étranges lueurs comme si quelque chose s'enflammait par intermittence, il frissonne, la lune a disparu, cachée par des nuages.

– Ces lueurs proviennent du feu que crache le gardien de la Toison d'or, dit une voix féminine derrière lui.

Jason sursaute et se retourne, il cherche à voir qui lui parle.

– Les yeux du dragon ne se ferment jamais, ajoute la voix.

À quelques mètres de lui, il distingue une silhouette frêle enveloppée dans des voiles, il s'avance.

1. Fleuve des Enfers (voir ce mot dans le lexique).

– Qui es-tu ? demande-t-il.

– Je suis celle qui a le pouvoir de fermer les yeux du dragon et toi tu es l'étranger, tout le monde parle de toi. Æétès est furieux !

Elle soulève le voile qui couvre ses longs cheveux noirs, mais il fait trop sombre pour que Jason puisse distinguer son visage.

– Je ne sais pas comment tu m'as reconnu parce que moi je ne te vois pas, dit-il.

Elle lève la main vers la lune et les nuages disparaissent.

C'est une jeune fille, de longs cheveux foncés dissimulent en partie son visage mais ses yeux ont la couleur de l'or. Un regard, et il semble à Jason qu'elle en sait plus sur lui qu'il n'en connaîtra jamais. Troublé, il détourne les yeux.

– Commandes-tu aux forces de la nature ou est-ce le hasard qui fait disparaître les nuages quand tu lèves le bras ?

– Crois ce que tu veux !

– Et comment t'y prends-tu, jeune fille qui refuse de dire son nom, pour endormir le terrible gardien de la Toison d'or ?

– Je lui chante une berceuse.

– Alors tu pourras m'aider si j'arrive jusque-là. Æétès s'est bien gardé de me dire qu'un dragon veillait sur la Toison d'or.

– C’est parce qu’il a peur que tu réussisses les épreuves qu’il t’a imposées !

– Oh bien sûr ! Je n’avais pas pensé à cela !

– Ne te moque pas de moi !

– Je ne me moque pas de toi mais tu sembles bien être la seule à penser que je ne vais pas mourir demain.

Elle a l’air furieux et Jason se sent envahi d’une tendresse subite pour cette inconnue, il veut lui prendre la main un instant mais elle croise les bras pour l’en empêcher.

– Pourquoi veux-tu emporter la Toison d’or en Grèce, Jason ?

– C’est à cette unique condition que mon oncle Pélias me rendra le trône de mon père.

– Le fera-t-il ?

– Il n’aura sans doute pas à se parjurer. Ce n’est pas la Toison d’or qu’il m’a envoyé chercher ici, mais la mort. Et je crois que le jour qui se lève va lui donner raison. Je vais me battre mais que puis-je seul contre deux taureaux enragés et cent guerriers ?

– Je vais t’aider.

– Et pourquoi ferais-tu une chose pareille ?

– Quel crime as-tu commis ?

– Aucun, répond Jason surpris.

– Alors pourquoi faudrait-il que tu sois puni ? Ta cause est juste.

– Pourquoi ne sers-tu pas plutôt les intérêts de ton roi ?

– J'obéis à ce que mon cœur m'impose, répond-elle calmement.

– Tu es vraiment étrange. Ton cœur t'impose-t-il d'aider tous les étrangers qui accostent en Colchide ?

– Tu es le premier et tu es le seul.

Elle lui tend une petite fiole :

– C'est un onguent, je l'ai préparé moi-même, il te protégera du souffle ardent des taureaux et te rendra invincible.

Elle entrouvre la main de Jason et y dépose l'onguent :

– Prends-le s'il te plaît.

– Je n'ai pas besoin de cela. Héra me protège.

La jeune fille hausse les épaules :

– Héra te protège ? Où est-elle ? Regarde autour de toi, tu es seul. Ce ne sont pas les dieux qui viennent à ton secours. Ici, il n'y a que moi et je te propose mon aide. Accepte-la.

Jason referme sa main sur la fiole.

La jeune fille se baisse et fouille longuement le sable. Elle ramasse une petite pierre blanche qu'elle lui tend.

– Lorsque les guerriers marcheront vers toi, jette cette pierre parmi eux.

– Et que se passera-t-il ?

– Tu verras.

– Contre des taureaux furieux et cent guerriers, un onguent et une pierre blanche. L'équilibre des forces me semble bien inégal…

– Il te suffit de croire en mes pouvoirs.

Jason sourit :

– Existes-tu réellement ? Qui me dit que tu n'es pas une hallucination ? Ou pire, ne vas-tu pas te transformer en démon ? Il faut que je m'en assure, donne-moi la main ravissante apparition !

Sans hésiter, elle s'approche de lui et prend ses deux mains dans les siennes. À leur contact, il tressaille, les mains de la jeune fille sont chaudes et douces, les yeux dorés le dévisagent intensément :

– Fais ce que je te dis et la Toison d'or t'appartiendra.

Les deux jeunes gens restent un long moment silencieux et immobiles, leurs mains demeurent jointes, ils ne peuvent se résoudre à se détacher l'un de l'autre.

– Imaginons, parvient à dire Jason, imaginons que je réussisse grâce à toi, que fera la magicienne quand son peuple et son roi se rendront compte qu'elle les a trahis pour un étranger ?

– Je ne sais pas, murmure-t-elle.

– Voudrais-tu venir avec moi en Grèce ?

– Tu ne me connais pas et voilà que tu veux m'emmener dans ton pays...

– Si ce que tu dis est vrai, je ne peux pas te laisser seule ici après mon départ. Æétès te fera tuer !

Elle éclate de rire :

– C'est impossible, Æétès ne me tuera pas, tu peux

me croire. Trouve une autre raison pour me faire abandonner la Colchide.

Il rit aussi et dit très vite :

– Je pourrais t'épouser.

À ces mots, la jeune femme chancelle comme si Jason l'avait frappée.

– Tu es sérieux ?

Avec douceur, il lui embrasse les mains et les yeux dorés se ferment un instant.

– Je ne sais pas qui tu es, murmure-t-il, tu apparais alors que j'attends la mort. Grâce à toi je reprends espoir, je vais vivre. Je t'emmènerai avec moi en Grèce, je te le promets…

Mais soudain, elle se détache de lui et s'éloigne, « Fais ce que je t'ai dit » sont ses derniers mots, puis elle disparaît.

– À qui ai-je fait peur ? demande une voix grave que Jason connaît bien.

Orphée marche vers lui :

– Qui est cette jeune fille ?

– Je l'ignore, elle ne m'a pas dit son nom. Es-tu là depuis longtemps ?

– Je viens d'arriver. Je ne te voyais pas revenir et je m'inquiétais pour toi. Je t'ai entendu parler à quelqu'un et je me suis approché en silence, du moins c'est ce que je croyais.

– Est-ce que tu l'as vue Orphée ? demande Jason

fiévreusement. Elle est magnifique ! Et ses yeux ! Si tu avais pu voir ses yeux !

Orphée sourit :

– Allons mon ami, tu le sais comme moi, la nuit et le danger sont propices aux emballements du cœur.

– Grâce à elle nous rentrerons victorieux !

– Non, ce sera grâce à toi Jason. Tu ne sais même pas qui elle est. Demain matin, tu n'y penseras plus et elle aussi t'aura oublié.

– Je ne crois pas Orphée, dit Jason d'une voix sourde, non je ne crois pas.

Depuis la prophétie de la Fille du Chêne Parlant, il attendait un signe, un prodige, il attendait que le ciel s'entrouvre et qu'Héra manifeste sa fureur. À la place, une petite fiole et une pierre blanche reposent au creux de sa main, une jeune inconnue prétend que c'est là son salut et Jason sait qu'il va faire exactement ce qu'elle lui a demandé.

CHAPITRE 4
LES GUERRIERS DE LA TERRE

Les soldats d'Æétès ôtent le harnachement qui recouvre les naseaux des taureaux aux sabots d'airain et détalent en courant. Aussitôt les bêtes crachent le feu et il semble à Jason que son cœur s'arrête de battre. Pourtant, les monstres ne l'ont pas encore flairé et se contentent d'arpenter paisiblement le sol. Une foule dense s'est massée sur la colline qui surplombe le champ, certains encouragent l'étranger, d'autres l'insultent. Jason aperçoit Æétès. Avec un sourire narquois, le roi lui montre du menton une charrue. Les taureaux mugissent et la foule se tait. Courageusement

Jason entre dans le champ. Au même instant, les taureaux crachent le feu et le sol s'embrase, la chaleur est intense et rend flou le contour des choses. La fumée lui arrache les yeux mais Jason s'avance. Les taureaux grattent furieusement le sol de leurs sabots et une nouvelle fois vomissent des flammes. Elles viennent mourir aux pieds de Jason. La foule s'exclame, le Grec n'a pas bougé, comme s'il était insensible à la fournaise. L'instant d'après les taureaux se ruent sur Jason, celui-ci n'attend pas, il se met aussi à courir vers eux. Avant que les cornes acérées ne le déchirent, il s'en saisit et force les bêtes furieuses à baisser la tête. Les taureaux résistent, mais Jason les maintient d'une main de fer. Æétès hurle et encourage ses bêtes, rien n'y fait, le Grec semble doté d'une force surnaturelle. Bientôt les naseaux des taureaux rejoignent la terre. Alors, comme par enchantement les bêtes s'immobilisent et acceptent ce que leur impose Jason. Lentement, il relâche sa pression, les taureaux relèvent le front mais ils sont domptés, paisibles. Jason leur flatte l'encolure, il entend la voix furieuse d'Æétès :

– Harnache ces maudites bêtes et laboure le champ ! ordonne-t-il.

– Quelle est la raison de ta colère Æétès ? lui crie Jason. Après tout, ne suis-je pas en train de faire ce que tu fais tous les matins ?

– Hâte-toi !

– Qu'on m'apporte d'abord de l'eau !

Soudain Orphée est près de lui et lui tend d qu'il boit avidement.

– Je savais qu'elle nous aiderait, murmure Jason, cet onguent est puissant…

– Il ne serait d'aucune utilité sur un lâche, répond Orphée.

– Où est-elle ? Pourquoi ne se montre-t-elle pas ?

– Il te reste une épreuve Jason, ce n'est pas le moment de penser à elle. Ici, nous n'avons que des ennemis. Æétès a du mal à contenir ses hommes. Lorsque tu auras vaincu les guerriers, nous t'aiderons à quitter le champ.

Jason attelle les taureaux. La terre est dure et rocailleuse mais les bêtes d'Æétès sont vigoureuses, bientôt de larges sillons noirs entaillent le champ sur toute sa longueur.

Jason se dirige alors vers Æétès. Celui-ci lui tend un casque à l'intérieur duquel se trouvent les dents de dragon qu'il doit semer. À ce moment-là, la foule massée derrière le roi s'entrouvre et deux jeunes gens, un homme et une femme, font leur apparition. La foule les salue respectueusement.

– Mon fils Absyrtos et ma fille Médée sont venus te voir mourir, dit Æétès, ne les déçois pas !

Jason se fige, la mystérieuse apparition de la nuit se tient devant lui. Déconcerté, il ne peut s'empêcher de la regarder longuement. Elle ne détourne pas les yeux. Pendant un instant, il se revoit serrant dans ses bras la fille d'Æétès. La voix d'Absyrtos le ramène à la réalité :

– Eh bien étranger, faudra-t-il que je plante moi-même les dents de dragon ?

Il éclate d'un rire mauvais puis il serre la jeune femme contre lui :

– À moins que ce ne soit à ma sœur de s'en charger ?

Médée se raidit mais Absyrtos lui prend le visage entre les mains.

– Ses yeux lancent des éclairs, dit-il, il y a plus à craindre d'elle que des guerriers de mon père !

La colère envahit Jason mais pour ne pas mettre la jeune femme en danger, il réprime la pulsion qui le pousse à défier Absyrtos.

– Il faut en finir, dit Médée.

Elle prend le casque des mains d'Æétès et le tend à Jason.

– Allons, ajoute Absyrtos, la petite-fille du Soleil s'impatiente !

Sans un mot, Jason se saisit du casque et marche vers le champ. Il puise de larges poignées de dents de dragon qu'il lance rageusement dans la terre fraîchement retournée.

À peine les dents de dragon touchent-elles le sol qu'elles disparaissent comme absorbées. La terre de Colchide est vivante et les enfants auxquels elle va donner naissance seront impitoyables. Les sillons se déforment et de longues tiges de bois émergent lentement du sol. À leur sommet, un bourgeon de fer qui n'éclora jamais : ce sont des pointes de javelot. La foule pousse un cri, des mains tiennent les javelots et apparaissent à leur tour, puis viennent des casques sous lesquels prennent vie des visages féroces aux yeux vitreux. Lorsque leurs bouches aspirent l'air pour la première fois, les guerriers de la Terre poussent un hurlement rauque. Jason est paralysé d'effroi, il a la sensation, alors que les guerriers surgissent, que la terre est en train de l'aspirer, qu'elle se nourrit de sa peur pour décupler la force de ses enfants. Déjà la plupart des combattants ont dégagé leurs épaules du sol et se débattent violemment pour s'arracher plus vite à la terre. Jason se ressaisit. L'épée à la main, il marche vers eux mais ne peut se résoudre à frapper des hommes à moitié enterrés. Il bat en retraite sous les huées des Colchidiens. Bientôt, à chaque endroit où il a semé une dent de dragon, se tient un homme plein de haine et prêt à combattre.

Jason est seul face à l'armée des guerriers de la Terre. Il se saisit de la petite pierre blanche qu'il avait cachée dans sa ceinture et la serre avec tellement de force que ses arêtes vives lui entaillent profondément la peau. Jason regarde Médée, la jeune femme est très pâle et son corps semble tétanisé. À l'intérieur de sa main, il sent battre la pierre, comme s'il tenait le cœur d'un petit animal. Quelques gouttes de sang s'écoulent de son poing fermé et tombent sur le sol. La terre tremble et comme s'ils n'attendaient que ce signal, les guerriers se ruent en hurlant vers Jason. Celui-ci lève haut le bras et jette la pierre ensanglantée dans leur direction. Elle décrit un arc de cercle au-dessus des combattants et disparaît au milieu de leurs rangs. Brutalement ils se désintéressent de Jason, ce qu'ils veulent maintenant c'est la pierre, elle est devenue l'objet de toute leur convoitise. Des mains se tendent, celui qui l'avait saisie est piétiné, certains se fraient un chemin au milieu des autres à coups de javelot, ils ne savent plus où est la pierre mais ce qu'ils savent c'est que pour s'en emparer, ils doivent massacrer leurs frères d'armes. Ils frappent, découpent, enjambent les corps de ceux qui sont tombés, piétinent les entrailles de ceux qu'ils ont éventrés, les guerriers de la Terre s'entretuent pour un misérable caillou ensanglanté.

Jason détourne les yeux de l'horrible spectacle et rengaine son épée. Le champ de bataille est jonché de cadavres, le sol tremble encore une fois et dans un effroyable bruit de succion, la terre de Colchide reprend les guerriers qu'elle avait donnés au roi Æétès.

La foule acclame celui qu'un instant auparavant elle conspuait.

CHAPITRE 5
DANS LE BOIS D'ARÈS

Jason exulte, la Toison d'or est à lui. Il cherche Médée du regard, mais sur un signe d'Æétès, Absyrtos l'entraîne loin du champ. Elle ne résiste pas et laisse son frère l'emmener.

Æétès lève le bras pour faire taire la foule et dit d'une voix forte :

– Je n'ai qu'une parole étranger. Contourne la ville et rends-toi dans le bois d'Arès*, c'est là que se trouve la Toison d'or. Seul un sortilège a pu te permettre de vaincre les guerriers de la Terre, mais cette fois, je peux t'assurer qu'aucune magie ne sera assez puissante pour décider son gardien à te la laisser prendre. Je te donne jusqu'au coucher du soleil. Passé ce délai, ton cadavre et ceux de tes compagnons orneront les murailles de Colchos !

Puis le roi se retire accompagné de ses soldats et la foule se disperse. Jason dégaine son épée. Aussitôt deux mains puissantes s'abattent sur ses épaules :

– Que t'apprêtes-tu à faire mon ami ? murmure une voix à son oreille, range ton arme !

– Il sait Orphée, il sait que c'est elle ! dit Jason d'une voix sourde, elle est en danger !

– Nous ne pouvons rien pour le moment et je ne crois pas qu'Æétès lui fasse le moindre mal.

Orphée soupire :

– La prophétie de la Fille du Chêne Parlant s'est réalisée. Héra ne pouvait pas nous donner pire alliée, hélas.

– Peu importe, Médée sera en sécurité à bord de l'*Argo*.

– As-tu perdu la tête Jason ? Nous n'emmènerons pas cette fille avec nous. Si nous le faisons, le pire est à craindre, Æétès va se lancer à notre poursuite et nous massacrer jusqu'au dernier.

– C'est grâce à elle que j'ai réussi les épreuves, nous ne pouvons pas l'abandonner !

– La Toison d'or n'est pas encore en notre possession ! Quant à la magicienne, nous verrons plus tard ce qu'il convient de faire à son sujet. Hâte-toi Jason, il reste peu de temps avant le coucher du soleil.

– Ce que tu ne comprends pas Orphée, c'est que notre salut dépend de Médée, ses pouvoirs sont immenses, grâce à elle nous rentrerons en Grèce sains et saufs.

– Nous avons réussi à venir jusqu'ici sans elle.

– Je l'aime Orphée et je ne veux pas la perdre !

– Æétès ne te donnera pas sa fille.

– Alors je la lui prendrai !

– Tu commets une folie Jason !

– Je vais aller chercher la Toison d'or, ensuite je me rendrai au palais d'Æétès et j'enlèverai Médée. Attendez-moi à bord de l'*Argo*. Si je ne suis pas revenu à la nuit tombée, appareillez sans moi.

– Il n'en est pas question. Nous ne t'abandonnerons pas !

– Faites ce que je vous dis !

– Tu commets une folie ! Jason, écoute-moi !

Mais Jason se détourne d'Orphée et prend le chemin du bois d'Arès.

Des arbres immenses cachent le ciel et le bois est sombre et humide. L'endroit est lugubre, silencieux, étrangement aucun oiseau ne chante. Jason ne sait pas où il doit chercher. Il erre un moment, tente de trouver un signe lui indiquant qu'il est dans la bonne direction. Une brise légère agite les branches et soudain, il semble à Jason qu'un éclair doré vient de frapper les arbres. Il dégaine son épée et avance sans bruit. Le bois s'épaissit, mais les arbres sont de plus en plus lumineux, tous nimbés de la même lueur dorée. La lumière devient presque aveuglante et soudain la Toison d'or est devant lui. Il tend la main, le scintillement qui en émane est si fort que Jason voit les veines de sa main, de fins vaisseaux bleus, en transparence. Au moment où il va la toucher, il perçoit un sifflement aigu derrière lui, quelque chose d'inhumain qui lui glace le sang. Jason se retourne lentement : une créature aux ailes démesurées, au corps recouvert d'écailles, à la tête monstrueuse où brillent deux yeux jaunes pareils à ceux d'un serpent, l'observe avec férocité. Jason lève son épée. La créature siffle de manière menaçante et Jason voit sortir de la gueule aux crocs acérés une langue noire et fourchue.

– Ne fais pas ça Jason, dit la voix de Médée, ne bouge pas !

Jason s'immobilise. En entendant la voix de Médée, la créature se fige elle aussi. Médée est à quelques mètres du dragon, elle s'avance lentement vers lui en chantant d'une voix douce. Une complainte triste s'élève dans le bois d'Arès, une lamentation qui fait frissonner Jason malgré lui. Le dragon dodeline de la tête et les yeux jaunes se ferment. Médée chante toujours. Elle s'approche encore et casse au-dessus de la tête du dragon une petite branche d'arbre. De la tige s'écoulent quelques gouttes de sève qui scellent les yeux du monstre. Médée chante encore et Jason ferme les yeux un instant, le chant devient plus gai et mélodieux, mais il lui semble entendre la voix d'Orphée résonner en contrepoint : « Tu commets une folie », le chant s'éteint soudainement.

– Il dort, chuchote Médée, regarde-moi.

Jason ouvre les yeux, Médée caresse l'encolure du dragon.

– Comment te remercier ? dit-il, une fois encore je te dois la vie.

Il voudrait la serrer contre lui mais il n'ose pas, la jeune femme semble lointaine, comme détachée d'elle-même.

– Le gardien de la Toison d'or a failli à son devoir, dit-elle, il s'est endormi. Je pourrais le tuer, veux-tu que je le tue pour toi ?

– Ce n'est pas la peine, répond Jason décontenancé.

– Tu préfères le tuer toi-même ? Cela te ferait plaisir ?

– Il est inoffensif. Comment as-tu fait pour t'échapper du palais ?

– Ni mon frère, ni même mon père n'ont le pouvoir de m'empêcher d'aller là où je veux être.

– Il faut partir, Æétès va lancer ses hommes contre nous. Viendras-tu avec moi ?

Elle tressaille :
– La nuit va tomber…
Jason s'avance vers Médée et prend dans la sienne la main qui caressait le dragon.
– Je t'épouserai, je te l'ai promis. N'as-tu pas confiance en moi ?
– Depuis le jour où je t'ai vu, dans le palais de mon père, je n'ai utilisé mes pouvoirs que pour trahir. Je l'ai fait sans honte et sans chagrin, je l'ai fait parce que je t'aime Jason.
– La nuit dernière, tu t'es enfuie et depuis je n'ai cessé de penser à toi…
– Veilleras-tu sur moi ? M'aimeras-tu toujours ?
Jason serre la jeune femme contre lui :
– Grâce à toi, la Toison d'or m'appartient et c'est avec toi que je veux aller réclamer à Pélias le trône qui me revient.
– Et s'il refuse ?
– Regarde ce que nous avons accompli, tant que nous resterons ensemble rien ne pourra nous résister. Je te ferai oublier ce que tu abandonnes.
– Qu'est-ce que j'abandonne ? murmure Médée.

À bord de l'*Argo*, Lyncée scrute l'horizon. Soudain, ses yeux perçants distinguent une lueur mouvante qui s'approche rapidement du bateau :
– Je le vois, crie-t-il aux Argonautes, et il a la Toison

d'or ! Nous allons pouvoir rentrer chez nous !

Une clameur retentit sur l'*Argo*.

– Tenons-nous prêts à appareiller dès qu'il nous aura rejoints.

– Est-il seul ? demande Orphée d'une voix pressante.

– Non, répond Lyncée, la fille d'Æétès court à ses côtés.

IIe PARTIE

IOLCOS

CHAPITRE 6
UNE VIEILLE FEMME

Une longue file ininterrompue de marchands ambulants piétine devant les remparts de Iolcos. Les soldats de Pélias refusent de laisser quiconque entrer dans la cité. Pélias a peur, le fils d'Æson est de retour. On dit que là-bas, en Colchide, Jason a conquis la Toison d'or et épousé une Barbare*. On dit que la Barbare est une magicienne aux pouvoirs redoutables, fille de roi. C'est grâce à elle que Jason a pu s'emparer de la Toison d'or. Les rues de Iolcos bruissent des exploits des Argonautes et chacun secrètement se réjouit du retour des héros. Ils ont franchi sans dommage le détroit de Charybde* et Scylla, ils ont résisté aux sirènes qui les attiraient vers les récifs pointus qui bordent leur île. En Crète, la magicienne a vaincu Talos en arrachant le clou qui fermait l'unique veine du géant de bronze. À peine débarqué, Jason marchait sur Iolcos. Il vient prendre ce qui lui est dû. Malgré la parole donnée, Pélias a fait fermer la ville, Jason ne régnera pas.

Les marchands sont en colère, certains tentent d'entrer par la force, les soldats les repoussent. Une vieille femme juchée sur un mulet se détache du groupe des marchands et se dirige paisiblement vers un jeune soldat posté devant la porte de la cité.

– Que se passe-t-il ? demande-t-elle alors qu'elle arrive à sa hauteur.

– Le roi a fait fermer la ville. Personne n'entre, répond le jeune soldat.

La vieille femme sourit, elle n'a plus une seule dent.

– Même les vieillards ? demande-t-elle, quel mal pourrais-je faire au roi, je ne sais même pas marcher sans ma canne !

Le jeune soldat n'arrive pas à détacher les yeux de la bouche édentée de la vieille femme. Elle s'impatiente :

– Et comment vais-je vivre si je ne peux pas vendre mes herbes aromatiques et mes onguents ?

– On craint, dit-il, que Jason n'essaie de rentrer à Iolcos par la ruse.

– Je ne connais pas ton Jason, répond la vieille femme, mais peut-être veux-tu avec ton épée fendre mon mulet en deux pour t'assurer qu'il ne se cache pas à l'intérieur ?

Quelques marchands éclatent de rire.

– Laisse-la passer ! N'as-tu pas toi aussi une grand-mère ? hurle l'un d'eux.

Le soldat hésite, elle est inoffensive, quel mal y a-t-il à la laisser entrer dans la cité ? En même temps, la vieille a quelque chose d'étrange, le jeune soldat a beau scruter ses traits ridés, il n'arrive pas à trouver ce qui le dérange.

– Que me donneras-tu si je te laisse entrer ? demande-t-il pour gagner du temps.

La vieille femme fouille dans un de ses paniers et lui tend une petite fiole :

– J'ai ici, dit-elle malicieusement, un onguent qui te fera peut-être pousser la barbe.

Le jeune soldat refuse la fiole en rougissant.

– Entre, dit-il très vite, entre.

La vieille femme franchit la porte de la cité, il la suit du regard et la voit s'engager dans les ruelles de Iolcos. Alors qu'elle disparaît, le jeune soldat comprend ce qu'elle avait d'étrange : sa grand-mère a les cheveux blancs, ceux de la vieille au mulet sont d'un noir de jais.

Le marché se tient sur une place, en plein cœur de la ville. C'est aussi à cet endroit que s'élève le palais du roi

Pélias. Des soldats en surveillent les abords, ils sont nerveux et repoussent sans ménagement ceux qui s'en approchent de trop près.

La vieille femme descend lentement de sa monture. Les habitants de Iolcos se pressent auprès des rares marchands qui ont pu entrer dans la ville. Elle commence à détacher les paniers des flancs de la bête. Son voisin, un vendeur d'étoffes, la regarde faire un moment.

– Ces paniers ont l'air bien lourds pour toi. Veux-tu de l'aide ? demande-t-il aimablement.

– Je te remercie, répond-elle, mais mes herbes sont aussi légères que l'air que tu respires.

– Et à quoi servent-elles ?

La vieille ébauche un sourire :

– Peut-être peuvent-elles rendre la jeunesse…

– Alors pourquoi ne les essayes-tu pas sur toi ?

– Qui te dit que je ne les utilise pas ?

Elle se penche vers le marchand d'étoffes et lui chuchote à l'oreille :

– J'ai mille ans.

Il éclate de rire. Deux jeunes femmes richement vêtues observent la scène depuis une fenêtre du palais. Le marchand d'étoffes les salue respectueusement, la vieille l'imite, elles répondent nonchalamment d'un signe de la main.

– Qui sont ces jeunes femmes ? demande la vieille.

– Ce sont Évadné et Pélopia, les filles de Pélias, répond l'homme.

– Pourquoi nous regardent-elles ?

– Les filles du roi s'ennuient, nous sommes leur seule distraction.

Les jeunes femmes quittent la fenêtre. Bientôt les portes du palais s'ouvrent, elles passent au milieu d'une haie de soldats et se dirigent vers le marchand d'étoffes et la vieille femme. Les filles du roi se ressemblent à un tel point que si elles n'étaient pas habillées et coiffées de manière différente, il serait impossible de les distinguer l'une de l'autre. Celle dont les cheveux sont tressés s'adresse à la vieille femme :

– C'est la première fois que ma sœur et moi te voyons ici… Que vends-tu ?

Avant que la vieille femme ait le temps de répondre, le marchand, désireux de plaire aux filles du roi, s'exclame fièrement :

– Des herbes magiques !

Les yeux des deux jeunes femmes s'écarquillent.

– Est-ce vrai ? demande très sérieusement celle dont les cheveux sont ramenés en chignon sur la nuque.

Mais le marchand d'étoffes s'éloigne précipitamment, quelqu'un s'intéresse à son étal.

Les filles du roi s'approchent des paniers de la vieille, elles meurent d'envie de voir ce qu'ils contiennent.

– Tes herbes sont-elles réellement magiques ?

– Certaines de mes herbes soulagent les douleurs, d'autres encore endorment, répond la vieille femme, alors oui, on peut dire que leurs effets sont magiques pour celui qui souffre ou qui ne trouve pas le sommeil. Je ne vois pas comment je pourrais vous être utile, vous êtes si jeunes, vous ne souffrez d'aucun des maux qui accablent les gens de mon âge…

– Notre père… commence la jeune femme au chignon.

– Tais-toi ! la réprimande l'autre, nous ne connaissons pas cette femme !

La vieille leur sourit avec bienveillance.

– Ne vois-tu pas qu'elle pourrait nous aider ? insiste la jeune femme au chignon. Ce sont les dieux qui l'envoient !

Et sans plus s'inquiéter de sa sœur, elle prend le bras de la vieille femme :

– Je m'appelle Pélopia, et voici ma sœur Évadné. Pélias notre père est souffrant, les années l'accablent, il est perclus de douleurs et passe le plus clair de son temps prostré. Tu n'es pas sans savoir que Jason veut s'emparer du trône par la force, la ville est assiégée…

– J'ai en effet eu le plus grand mal à venir jusqu'ici.

– Si notre père pouvait au moins retrouver un peu de vitalité.

La jeune femme au chignon se tord les mains d'angoisse.

– Il y a peut-être un remède, dit la vieille, mais nous devons procéder dans le plus grand secret.

CHAPITRE 7
UN PRODIGE

Dans les appartements des filles du roi Pélias, un bélier pousse des bêlements déchirants.

Il est entravé aux pieds de la vieille femme. Penchée au-dessus d'un chaudron en cuivre, elle y jette des racines mystérieuses, des poudres et des herbes qu'elle pioche dans ses paniers. Puis elle avive le feu, une écume grisâtre se forme à la surface du chaudron.

– Dépêche-toi, dit Pélopia d'une voix angoissée, quelqu'un pourrait venir.

Elle entrouvre la porte des appartements et scrute le corridor.

Sa sœur ne dit pas un mot, mais elle est prête à appeler

les gardes si les choses tournent mal. La vieille femme l'inquiète, elle murmure des incantations et vient de jeter dans le chaudron quelque chose d'étrange et de sanguinolent, le cœur d'un animal ou ses entrailles peut-être. L'odeur qui se dégage du mélange et qui semblait, il y a un instant encore, agréable aux filles de Pélias devient pestilentielle.

Le bélier se débat essayant d'échapper à ses liens.

– Tu ne vas pas lui faire de mal ? demande anxieusement Évadné.

– Bien sûr que non, répond la vieille femme.

Elle sort un couteau d'un de ses paniers, attrape le bélier par les cornes et d'un geste vif lui ouvre la gorge. Les filles de Pélias poussent un cri d'effroi et toutes les deux portent les mains à leur cou comme si elles s'attendaient à y trouver une plaie béante. La bête s'affaisse en se vidant de son sang, son corps est agité de soubresauts. La vieille femme recueille le sang encore chaud du bélier, puis elle l'ajoute aux ingrédients qui bouillonnent dans le chaudron. L'écume devient rosâtre. Horrifiées, les deux sœurs reculent lentement vers la porte.

– Voulez-vous toujours voir votre père rajeunir ? demande la vieille femme.

Mais les filles du roi Pélias sont pétrifiées et restent muettes. Elles regardent le cadavre du bélier et la vieille femme couverte de son sang.

– Comment un tel prodige serait-il possible ? parvient à demander Pélopia d'une voix blanche. Évadné, quant à elle, semble sur le point de s'évanouir.

– Il faut me faire confiance, marmonne la vieille femme.

Elle prend un bâton d'olivier et s'en sert pour mélanger les ingrédients du chaudron. Instantanément le rameau d'olivier se couvre de feuilles et d'olives.

Stupéfaites, Pélopia et Évadné s'approchent de la vieille femme et se saisissent du rameau d'olivier.

– Mais le bois était mort il y a un instant !

– Et maintenant, m'aiderez-vous à plonger ce bélier dans le chaudron ?

Sans plus hésiter, Évadné et Pélopia empoignent le cadavre de la bête et le jettent dans le chaudron où il disparaît.

Les filles du roi Pélias se penchent au-dessus du chaudron. La fumée qui s'en échappe épouse les contours de leurs visages.

– Que va-t-il se passer ? demande Évadné.

Un bêlement craintif lui répond.

Sans craindre de se brûler, la vieille femme plonge les mains dans le liquide bouillant et, sous les yeux ébahis des filles du roi, en retire une petite boule de poils blancs, c'est un agneau vivant. Elle le sèche et le pose délicatement sur le sol mais il tient à peine sur ses pattes et chavire dès qu'il essaie de marcher.

– Il cherche du lait, je n'ai pas le pouvoir de lui rendre sa mère, il faudra le nourrir vous-mêmes.

Pélopia se baisse et prend l'agneau tremblant dans ses bras.

– C'est prodigieux, je ne peux pas le croire !

Elle tend l'agneau à sa sœur en riant :

– Il faut vite le montrer à notre père.

– Non, dit la vieille femme rudement, surtout pas !

– Mais, s'étonne Pélopia, lorsqu'il verra de quoi tu es capable, notre père n'hésitera pas. Ses cheveux sont blancs, ses jambes le portent à peine, il n'a plus la force de tenir une épée, grâce à ta magie…

– Non, dit la vieille femme une nouvelle fois.

Elle semble en colère, elle éteint le feu et rassemble rapidement ses paniers.

– Tu as dit tout à l'heure que tu allais nous aider ! s'insurge Pélopia.

– Vous n'avez pas la force de caractère nécessaire. Lorsque j'ai égorgé le bélier, vous étiez prêtes à appeler les gardes.

– Nous ne savions pas que tu allais le rajeunir, dit Évadné, nous t'avons vu jeter toutes ces choses affreuses dans le chaudron, nous avons pris peur… Pardonne-nous ! Nous ferons tout ce que tu exiges.

– Pour aider Pélias, il me faut son sang, dit la vieille femme.

– Ne pouvons-nous pas utiliser le mélange que tu as

préparé avec le sang du bélier ? demande Pélopia.

– Regardez mes mains, dit la vieille femme, elles sont ridées, tordues et mes veines sont aussi dures que du bois, pourtant je les ai plongées dans le chaudron. Seul le sang de Pélias pourra rajeunir Pélias.

– Il faut lui montrer l'agneau, hasarde Évadné.

– Et lui demander de s'ouvrir les veines ? demande la vieille femme ironiquement.

Les filles du roi Pélias frissonnent.

– Tu as raison, dit Évadné, il n'acceptera jamais. Les hommes ne croient pas à ce genre de prodige. Nous-mêmes, ce n'est que lorsque nous avons vu le rameau d'olivier refleurir…

– Ainsi, l'interrompt Pélopia, notre père ignorera toujours qu'il existe un moyen de lui rendre la jeunesse ?

Évadné soupire :

– Hélas ma sœur…

– Hé bien non, dit Pélopia avec fièvre, je ne peux m'y résoudre ! Les dieux m'en sont témoins, ce que nous avons vu à l'instant est miraculeux. Nous devons aider notre père malgré lui.

– Mais Pélopia, te rends-tu bien compte de ce qu'il nous faudra faire ? Il n'y a qu'un seul moyen de lui prendre son sang ! T'imagines-tu en train d'ouvrir les veines de ton père ?

– Nous attendrons qu'il soit endormi, il ne s'en rendra pas compte.

– C'est monstrueux !

– Regarde cet agneau Évadné et pense à notre père. La jeunesse, voilà ce que nous pouvons lui offrir ! Une fille peut-elle rêver plus beau présent à un père qu'elle aime tendrement ?

– Je ne sais plus quoi penser…

– Nous devons être fortes, nous devons surmonter notre répugnance. Ne veux-tu pas voir disparaître le poids des ans qui force notre père à marcher voûté ? Me laisseras-tu entrer seule dans sa chambre et lever le poignard…

– Tais-toi, je t'en supplie ! Je t'aiderai ma sœur, je t'aiderai malgré ma peur, malgré mes craintes !

La vieille femme acquiesce :

– Vous êtes courageuses et vos paroles me vont droit au cœur. Comptez sur moi, je vous aiderai.

CHAPITRE 8
LE ROI PÉLIAS DORT-IL ?

Le roi Pélias ne trouve pas le sommeil, ses os le font souffrir, son cœur bat la chamade, ses oreilles bourdonnent continuellement et ses yeux ne veulent plus lui montrer le monde tel qu'il est. Autour de lui tout est flou, et c'est lorsqu'il les regarde de près qu'il distingue les gens et les choses. Les yeux de Pélias fouillent un brouillard perpétuel au travers duquel apparaissent parfois des visages familiers. Tout à l'heure, pendant le repas au cours duquel il n'a rien mangé – Pélias n'a plus d'appétit –, ce n'est qu'au son de leurs voix qu'il a pu reconnaître les convives. Ses filles qui d'habitude le régalent de leurs bavardages insouciants étaient étrangement calmes, c'est à peine s'ils ont échangé deux mots. Évadné et Pélopia se sont retirées très vite dans leurs appartements.

Elles sont inquiètes, Pélias le sent, c'est sans doute à cause de ce maudit Jason, son neveu. Jason qui a survécu à son expédition en Colchide. Le roi Æétès n'est-il donc pas aussi cruel qu'on le dit ? Jason que le désir de pouvoir obsède et qui revendique le trône. La Barbare qu'il a épousée veut devenir reine. Certains disent aussi qu'elle a tué de ses mains son frère pour protéger la fuite des Argonautes. C'est sans doute elle qui pousse Jason à s'en prendre à sa propre famille. Cette femme n'a aucun droit, elle n'est pas grecque et les héritiers qu'elle donnera à Jason ne pourront pas accéder au trône. De toute façon, le royaume de Thessalie appartient à Pélias, c'est Æson son frère qui le lui a donné ! À moins que… À moins que Pélias ne l'ait pris de force ?… Il ne se souvient pas, sa tête est vide, impossible de se souvenir… Oui, c'est cela, Æson est mort et Pélias a pris sa place… Mais de quoi Æson est-il mort ? Pélias soupire et ses poumons le brûlent comme si Héphaïstos* y avait installé ses forges. De toute façon, c'est de l'histoire ancienne tout ça, du passé, aujourd'hui Pélias règne et plus tard ce sera Acaste son fils aîné. Il faut se débarrasser de Jason. Le roi ferme les yeux, peut-être ainsi le sommeil viendra-t-il.

Quelque chose frémit aux pieds du vieux roi. Avec

difficulté, il remue les jambes. Il entend des bruits de pas dans le corridor, on chuchote, sans doute les servantes de ses filles, leurs appartements jouxtent le sien. Que ces servantes sont agaçantes, pourquoi ne saventelles pas travailler silencieusement ? Quelque chose bouge sur sa cuisse, Pélias tressaille et ouvre les yeux. Le feu est en train de mourir et la pièce est sombre. Il redresse péniblement la tête. Il y a quelque chose sur sa cuisse, quelque chose de flou et de léger qui progresse rapidement vers lui par petits bonds. Pélias se mord les lèvres pour ne pas hurler. Un serpent ! C'est un serpent ! La chose frôle son ventre et bientôt elle est sur son torse. Une bûche qui se consumait se casse soudainement. À la lueur des flammes qui renaissent, Pélias réalise que son visiteur est un petit lézard vert aux yeux dorés. Il soupire de soulagement. La bête s'immobilise et regarde le roi en agitant sa minuscule langue fourchue. Pélias sourit, encore un peu et il appelait les gardes ! À l'aide vaillants guerriers, votre roi est attaqué par un lézard ! Un lézard, quelle étrange visite...

Pélias amusé se force à l'immobilité pour ne pas effrayer le reptile, sa poitrine se soulève au rythme de sa respiration, mais la petite bête semble s'y plaire.

– D'où viens-tu ? murmure Pélias, et qu'as-tu vu aujourd'hui ?

Le roi souffle doucement sur le lézard, la bestiole incline la tête sur le côté. Pélias ferme les yeux.

– Le soleil ? Tu as vu le soleil… reprend doucement Pélias, hélas, moi il ne me réchauffe plus… Je suis seul et ta visite me fait plaisir, je suis las ce soir et je pensais à Æson mon frère… À toi je peux bien le dire, je voulais Iolcos et pour cela il fallait que je me débarrasse de lui. C'est ce que j'ai fait. Du crime lui-même, je ne me souviens pas mais je n'oublierai jamais le jour où je me suis assis à sa place. Les dieux ont permis que je monte sur le trône de Thessalie… J'ai régné de nombreuses années… Malheureusement, les dieux ont aussi voulu que mon frère ait un fils… Et Jason aujourd'hui vient me reprendre ce qui m'a été donné… Pourquoi ? Il doit bien y avoir une raison… Il doit bien y avoir une raison, mais je n'arrive pas à comprendre laquelle… C'est absurde… Aussi absurde qu'un lézard dans le lit d'un roi…

Pélias rit tout seul et il lui semble sentir un souffle léger sur son visage.

– Père, dit la voix de Pélopia.

– Oh Père, reprend la voix d'Évadné en écho.

C'est comme une lamentation. Pélias dort, Pélias s'est endormi, les dieux l'ont pris en pitié et lui envoient un rêve, ses filles sont près de lui et leurs voix le bercent et atténuent ses tourments.

Soudain le souffle lui manque et une douleur aiguë lui transperce la poitrine. Pélias râle et se convulse. Ses yeux s'ouvrent malgré lui. Il est couvert de sang, ses filles se tiennent au-dessus de lui, quelqu'un a essayé de l'assassiner. Pélias tend une main tremblante vers ses enfants.

– Tu comprendras, sanglote Évadné, tu comprendras…

– Ne t'inquiète pas père, la vieille femme va nous aider, dit Pélopia.

Elle semble plus calme que sa sœur, mais ses yeux sont comme fous, Pélias ne comprend pas pourquoi elle tient un poignard ensanglanté entre les mains.

Il regarde autour de lui. Où se cache le lézard ? Il trouve la force de sourire à ses filles. Il ne voit plus très bien, certes, le brouillard s'est fait plus profond, mais Pélias en est sûr, il n'y a que lui et ses filles dans la pièce.

– Quelle vieille femme ? demande-t-il dans un souffle avant de mourir.

CHAPITRE 9

LA COLÈRE D'ACASTE

Jason se réveille en sursaut, Médée vient de se glisser près de lui. La chambre est sombre, le jour commence à peine à se lever. Il la serre doucement dans ses bras.

– As-tu réussi à entrer dans Iolcos ? demande-t-il.

– J'ai fait bien mieux que cela, répond Médée. Ton père est vengé.

– Pélias est-il mort ?

– Oui, et je ne pouvais pas être plus près de lui au moment où il a rendu son dernier souffle.

– Raconte-moi tout !

– C'était facile. Les filles de Pélias sont naïves et il ne

m'a pas fallu longtemps pour les convaincre de faire exactement ce que nous voulions. Acaste a fait rouvrir les portes de la ville. Tu es libre d'y entrer comme bon te semble, personne ne t'arrêtera.

– Oh Médée, comment pourrais-je jamais te remercier ?

– Il te suffit de demander et j'exauce tes vœux.

Elle lui caresse le front, sa main est brûlante.

– J'efface les tristes pensées qui assombrissent parfois ton visage. Je vis par toi et pour toi Jason. Je suis ton épouse et ton ombre.

C'est la deuxième fois que Jason se rend à Iolcos. La première fois, il était seul, et les sujets de Pélias avaient regardé avec curiosité l'étranger chaussé d'une unique sandale qui se dirigeait vers le palais. Tous savaient que l'oracle avait jadis prédit à leur souverain qu'un homme mal chaussé lui ravirait le trône. Comment Pélias allait-il réagir ? Le roi avait réussi à dissimuler sa terreur et s'était débarrassé du prétendant en l'envoyant à l'autre bout du monde. Il en était sûr, c'est aux Enfers* qu'il expédiait Jason, libre à lui d'en revendiquer le trône si cela lui chantait.

Du haut de l'Olympe*, Héra regarde celui qui naguère l'avait aidée à franchir une rivière en crue. Bien entendu, Jason ignorait alors qu'il tenait dans ses bras l'irascible épouse de Zeus, mais le subterfuge était nécessaire, car en portant la déesse, Jason avait perdu une de ses sandales. Voilà qui prouvait qu'il était bien celui qu'annonçait l'oracle. Depuis, Héra a protégé Jason. Pour lui, elle est allée jusqu'à solliciter l'aide d'Aphrodite. Serait-il possible que les déesses aient commis une erreur lorsqu'elles ont choisi une alliée à Jason ? Éros n'aurait-il pas lancé sa flèche dans un cœur trop exalté ? Héra se détourne du mortel qui jusque-là avait trouvé grâce à ses yeux, elle a décidé de ne plus intervenir et de laisser Jason à son destin.

La ville semble déserte alors que Jason la traverse en compagnie de Médée. Les quelques rares personnes qu'ils croisent les regardent avec crainte et baissent la tête à leur passage. Pélias n'était pas aimé, mais personne ne mérite une mort aussi atroce et il n'est pas impossible que Jason y soit pour quelque chose. On murmure que son épouse, la magicienne, celle-là même qui marche à ses côtés la tête haute, était hier à Iolcos.

Jason et Médée franchissent les portes du palais. Des soldats les escortent jusqu'à la salle du trône. Le visage fermé, Acaste regarde Jason et Médée venir vers lui. Ses épaules sont voûtées comme s'il avait vieilli en une seule nuit. Il ignore délibérément Médée et toise Jason avec colère :

– Que viens-tu faire ici ? Tu n'es pas le bienvenu ! Nous préparons les funérailles de mon père. Mes sœurs ont quitté la ville ce matin. Je les ai bannies. Et toi aussi Jason, je veux te voir quitter Iolcos sur le champ !

– Le trône me revient de droit, répond Jason avec fermeté. C'est Æson mon père qui l'occupait avant que Pélias ne l'usurpe. Nous devons suivre la loi.

– Ne viens pas me parler de loi, non, pas toi Jason ! Comment les dieux ont-ils pu laisser commettre une telle atrocité ?

– Les dieux n'aiment pas les assassins et Pélias a fait tuer mon père ! Les dieux ont abandonné ta famille Acaste !

– Ils t'abandonneront aussi Jason, je te le prédis !

– Ce sont tes sœurs, ces pauvres folles, qui ont tué ton père !

– La seule folie de mes sœurs a été leur crédulité. Une vieille sorcière leur a fait miroiter une seconde jeunesse pour un père qu'elles aimaient infiniment. Oui, mes sœurs sont folles, mais c'est de désespoir !

Alors que Jason veut l'interrompre, Acaste lève une main tremblante de rage contenue :

– Comment avez-vous pu imaginer un tel supplice ? Les criminels c'est toi et la femme qui t'accompagne !

Jason porte la main à son épée :

– Je vais te faire ravaler tes mensonges !

– Laisse ton arme ou tu ne sortiras pas vivant d'ici !

Réponds-moi Jason, qui d'autre que toi voulait le trône ?

– Mon seul crime est d'avoir rapporté de Colchide ce que Pélias me demandait : la Toison d'or. Ton père n'a pas jugé bon de tenir sa promesse, et quelle est ma récompense ? Je dois fuir la Thessalie qui m'a vu naître. Le fils du roi est banni par le fils du roi. Lequel de nous deux a plus de légitimité pour gouverner ? Le fils d'un assassin selon toi ? Car c'est ce que tu es Acaste !

– Ce que mon père a commis est effacé par sa mort ignominieuse. Quant à toi, il te reste à expier ! Va-t'en Jason, ta vue m'est odieuse ! Mes soldats vont vous escorter jusqu'aux portes de la ville.

Et Acaste se retire, laissant seuls Jason et Médée.

– La conquête de la Toison d'or, murmure Jason, devait être la fin de toutes nos fatigues. Ma place est ici et voilà que nous devons fuir encore. Pourquoi ne puis-je obtenir ce que je désire le plus au monde ?

Médée lui effleure le visage d'une main apaisante :

– La Grèce est pour moi un asile et peu m'importe l'endroit où nous vivons pourvu que j'y sois avec toi. J'attends un enfant Jason…

Jason serre Médée dans ses bras :

– J'en suis infiniment heureux.

Il soupire :

– Hélas je n'ai rien à lui offrir, ni toit, ni royaume… Trouverons-nous jamais le repos ?

– Je t'en donnerai d'autres, voilà comment nous trouverons le repos, en regardant nos enfants devenir des hommes.

IIIᴱ PARTIE

CORINTHE

CHAPITRE 10
LE MARIAGE DE GLAUCÉ

Le jour se lève sur Corinthe. La lumière s'insinue dans les rues et éclabousse les murs blancs. Bientôt, il n'y a plus une maison qui ne soit pas illuminée par l'astre naissant, la ville flamboie. Les édifices les plus hauts projettent des ombres rectangulaires sur le sol. Médée contemple avec bonheur le spectacle de Corinthe qui s'éveille. Le soleil gagne ses appartements, il est tôt encore et la chaleur diffuse chauffe lentement les pierres que la nuit a rafraîchies. Tout à l'heure, la lumière sera aveuglante et l'air étouffant, obligeant chacun à se terrer chez soi. À ce moment-là, Médée rejoindra ses fils, Phérès et

Merméros. À l'extérieur, toute vie semblera avoir disparu mais ce ne sera qu'une illusion, les murs dérobant aux regards une mère et ses deux enfants dans la quiétude de leur demeure familiale. Phérès a perdu toutes ses rondeurs de bébé, c'est maintenant un petit garçon vif et curieux de tout, quant à Merméros, il marche depuis peu et prononce ses premiers mots. Les deux enfants ont les yeux dorés de leur mère. Plus tard encore, le soleil amorcera sa descente, la ville sortira de sa torpeur et Médée retrouvera alors Jason. Toutes ses nuits sont réservées à Jason, de la même façon que toutes ses pensées le jour la ramènent à lui. Impossible de lui échapper, elle le retrouve même dans les traits de leurs deux enfants. Une journée encore, comme toutes celles que Médée a passées ici depuis leur fuite de Thessalie, une journée à souhaiter que demain soit semblable à hier.

Médée regarde une fois encore la ville, puis se retourne. Elle sursaute, elle se croyait seule mais Jason est là à quelques pas d'elle. Il se tient immobile, les bras le long du corps et regarde ce qui l'entoure comme s'il le voyait pour la première fois.

– Tu n'es pas au palais ? demande-t-elle surprise.

– Je suis là.

– Quelle étrange façon de se comporter. Bien sûr que tu es là et j'en suis heureuse.

Médée soupire :

– Je me suis réveillée seule, comme trop souvent ces derniers temps.

Elle s'avance vers lui mais il l'arrête d'un geste de la main.

– Que se passe-t-il Jason ?

– Je ne sais pas comment il faut que je te le dise.

– Me dire quoi ? demande Médée intriguée.

– C'est que cela va sans doute te paraître brutal…

– Que se passe-t-il Jason ? Je n'ai qu'une seule crainte depuis que nous sommes arrivés ici, c'est que Créon nous chasse. C'est cela ? Nous lui avons déplu ?

– Non ce n'est pas cela, le roi est toujours aussi bienveillant que lorsqu'il nous a recueillis ici.

– Vas-tu enfin me dire ce qui te tourmente ?

– Pourras-tu comprendre ?

Jason semble extrêmement mal à l'aise, et Médée se fait la réflexion qu'il se comporte comme s'il n'était pas sous son propre toit.

– Non, non bien sûr tu ne comprendras pas, souffle-t-il.

Et avant même qu'elle puisse répondre quoi que ce soit, il quitte précipitamment la pièce. La chaleur entre par vagues de la fenêtre mais Médée a un frisson.

Peu après, la nourrice de Phérès et Merméros entre dans les appartements. Théia est une femme paisible et avenante et c'est à elle que parfois Médée ouvre son cœur.

– Les petits sont déjà levés et ils te réclament, dit la nourrice avec un sourire.

– Bien, répond Médée, je vais aller les voir.

La nourrice s'apprête à sortir lorsque Médée la rappelle :

– Y a-t-il quelque chose que je ne sache pas ? demande-t-elle.

– Je… Je ne comprends pas…

– Réponds-moi Théia ! Y a-t-il quelque chose que je serais la seule à ne pas savoir ?

– Je n'écoute pas les ragots des servantes.

– Si tu ne les écoutes pas, c'est donc qu'il y en a ?

La nourrice baisse les yeux.

– Oui, bien sûr, dit-elle.

– Tu connais toutes les servantes du palais, reprend Médée. Créon nous a offert l'hospitalité mais rares sont les fois où j'y ai été invitée. Jason s'y rend toujours seul, quant à moi je n'ai jamais réussi à m'attirer les faveurs du roi…

– Il se dit tellement de choses, s'il fallait accorder de l'importance à toutes !

– Allons Théia…

Les yeux de sa maîtresse la fouillent et la nourrice sent monter en elle une peur irraisonnée. Des ragots bien sûr, il en court en quantité, notamment celui selon lequel Médée serait une magicienne redoutable. Mais comment le croire, Médée a toujours été si bonne et si douce.

– Les servantes disent, balbutie la nourrice, elles disent que la fille de Créon va se marier.

Les yeux de Médée la lâchent enfin et Théia soulagée reprend son souffle :

– Mais je ne vois pas en quoi cela…

– Qui Glaucé va-t-elle va épouser ? la coupe Médée.

– Je n'en sais pas plus.

D'un geste de la main, Médée congédie la nourrice et Théia quitte les appartements de sa maîtresse en évitant de croiser son regard.

Médée s'approche de la fenêtre mais la vue de Corinthe n'apaise pas la sourde angoisse qui l'étreint depuis sa brève entrevue avec Jason. Des cavaliers apparaissent au détour d'une rue, parmi eux elle reconnaît Créon. Le roi et son escorte se dirigent vers la maison. Jason est absent, c'est donc elle qu'il vient voir.

– La journée est pleine de mauvaises surprises, murmure Médée.

CHAPITRE 11
LA VISITE DE CRÉON

– Je te remercie de me recevoir alors que je ne me suis pas fait annoncer, dit Créon.

– Je m'incline avec respect, répond Médée, devant mon souverain.

Mais son corps dément ses propos car c'est la tête haute qu'elle se tient devant lui.

– Je vois que tu es très calme et ce n'est pas ce à quoi je m'attendais, ajoute le vieil homme.

Médée fronce les sourcils :

– Pourquoi ne le serais-je pas ?

– Eh bien vu les circonstances, nous pensions…

Il semble embarrassé.

– Je ne te cache pas Médée, que ton attitude force le respect. Pas un cri, pas une larme.

– Que se passe-t-il ? Est-il arrivé quelque chose à Jason ? demande Médée avec inquiétude.

– Non, répond Créon surpris, quelle idée ! Je ne comprends pas, il ne t'a donc rien dit ?

Elle reste silencieuse.

– Ainsi Jason ne t'a pas parlé ? Voilà qui est étrange, reprend le roi. Bon laissons cela. Ce que j'ai à t'annoncer n'est pas facile. Je n'oublie pas que c'est grâce à toi que les Argonautes sont rentrés victorieux de Colchide et c'est pour cela que j'ai pris la peine de venir en personne. Il faut que tu quittes Corinthe.

Médée vacille :

– Tu me chasses ?

– On ne chasse pas les personnes de ton rang. Non, je te demande de partir.

– Mais pourquoi ? As-tu jamais eu à te plaindre de moi ?

– Peu importe, tu dois quitter Corinthe !

– Et où veux-tu que je trouve refuge ? Chez Acaste ? Ou peut-être voudrais-tu que je retourne auprès de mon père ?

Créon hausse les épaules.

– Fais ce qui te semble être le mieux pour toi.

– Jason ne te laissera pas faire une chose pareille !

Le vieux roi se met à arpenter la pièce à grands pas.

– Décidément tu ne comprends pas ! J'ai des projets pour Jason et ils ne te concernent pas ! Tu dois quitter la ville au plus vite. Ta renommée t'a précédée Médée, beaucoup te craignent et personne n'a oublié la façon dont Pélias est mort. Qui sait ce que tu es capable de manigancer.

– De quoi as-tu peur Créon ? En quoi suis-je devenue plus dangereuse pour toi aujourd'hui qu'hier ? Pourquoi irais-je m'en prendre à celui qui nous a offert un toit ?

– Ce n'est pas pour moi que j'ai des craintes, c'est pour ma fille.

– Je ne connais pas Glaucé, dit Médée froidement. Tout ce que je sais d'elle, et cela ne me concerne en rien, ce sont les rumeurs concernant son mariage.

– Tu es décidément bien habile. Tu feins d'ignorer qui elle doit épouser pour que je ne puisse pas te soupçonner de vouloir te venger. J'avais raison de me méfier de toi.

Il semble à Médée que l'air lui manque et elle est obligée de s'asseoir.

– Non, c'est impossible, dit-elle d'une voix blanche.

Elle demeure immobile, les épaules affaissées, les mains sur les genoux. Créon la regarde avec inquiétude et passe plusieurs fois nerveusement la main dans ses cheveux blancs. Il ne sait quelle contenance adopter face à cette femme prostrée. Dit-elle la vérité lorsqu'elle affirme ne pas connaître l'identité du futur époux ?

– Tu ne vas pas pleurer au moins ? Ce que je te demande, c'est la paix pour Corinthe. Jason va épouser Glaucé et il est inconcevable que tu restes. Allons Médée, tu es fille de roi et tu sais reconnaître la raison d'État, car c'est de cela qu'il s'agit.

– Ce mariage, c'est ce qu'il veut ? demande Médée dans un souffle.

– Bien sûr ! Qu'est-ce que tu crois ? Que je le force ?

– C'est à la mort que tu nous condamnes moi et mes enfants en nous chassant de l'endroit qui les a vus naître !

– Il n'est pas ici question des enfants, tu partiras seule.

– Ta fille me prend Jason et toi tu veux m'enlever mes enfants ?

– Ne t'inquiète pas pour eux, dit le roi, tout est arrangé, ils resteront ici, auprès de leur père.

Combien de temps s'est passé depuis le départ de Créon, Médée ne pourrait pas le dire. Son corps l'a abandonnée, il refuse de bouger. Elle attend Jason. Lui seul a le pouvoir de faire cesser ce cauchemar. Si au moins ses lèvres lui obéissaient, elle pourrait l'appeler. Elle essaye de toutes ses forces, ses lèvres bougent légèrement, elle psalmodie Jason, Jason, Jason, mais ce qu'elle croit être un cri n'est qu'un murmure. Il va venir.

Il va lui dire qu'il est difficile de lutter contre la volonté de Créon mais que c'est ce qu'il va faire, jamais il n'épousera Glaucé, d'ailleurs il ne l'aime pas, c'est elle, Médée, qu'il aime, comme au premier jour. Ils vont devoir s'enfuir, l'exil encore, mais quelle importance puisqu'ils seront ensemble. Le temps passe, où est Jason ? Pourquoi ne la rejoint-il pas ? Soudain Théia est près d'elle et lui parle, la nourrice tente maladroitement de la consoler, la prend dans ses bras. Médée n'a pas un geste. Ainsi Théia sait et si la nourrice compatit à son malheur, cela veut dire qu'il est bien réel. Le temps passe. Théia a disparu. Médée est seule. Jason ne viendra pas. Jason l'a trahie. Médée sent monter en elle un hurlement qu'elle réprime en se mordant violemment la main. Le sang s'écoule de sa blessure et tombe sur le sol et dans les desseins pourpres qu'il forme, elle voit ce qu'il lui reste à faire.

CHAPITRE 12
UNE ROBE DE NOCE

Médée entre dans les appartements de ses enfants et aussitôt Phérès et Merméros se précipitent vers elle.

– Comment vont mes enfants ? leur demande Médée avec un sourire.

– Nous t'avons attendue longtemps aujourd'hui et Merméros a pleuré, répond Phérès gravement.

– Oui, dit Merméros.

Médée s'agenouille devant le petit garçon et lui caresse la joue.

– Et pourquoi ce chagrin ?

Merméros renifle bruyamment et sourit en même temps.

– Maintenant il a oublié, répond Phérès à sa place, mais moi je sais. C'est parce qu'il voulait se promener dans les jardins et Théia lui a dit qu'il fallait attendre.

– Nous irons nous promener tout à l'heure, je vous le promets, dit Médée. Où est Théia ?

– Juste là, Phérès montre la terrasse du doigt. Elle a pleuré aussi, tout le monde pleure aujourd'hui.

– Oui, dit Merméros.

Médée rejoint la nourrice sur la terrasse. Théia a les yeux rougis par les larmes.

– Je ne savais pas, dit-elle, je te jure que je ne savais pas.

– Calme-toi Théia, je te crois. Au moins tout le monde ne m'aura pas trahie dans la même journée et cela me réconforte de savoir que j'ai encore une alliée ici.

– J'ai eu si peur tout à l'heure. Tu étais tellement accablée, tu n'entendais même pas mes paroles, je ne savais que faire, tu ne répondais pas et je ne pouvais pas laisser les enfants seuls…

– Ne t'inquiète pas, je vais bien maintenant.

Théia regarde Médée, celle-ci a en effet l'air maîtresse d'elle-même, ses yeux cependant ont un éclat inquiétant et sa main est entourée d'un linge où apparaissent quelques gouttes de sang.

– Mais tu es blessée ! Montre-moi ta main !

– Non, ce n'est pas la peine, ce n'est rien. Regarde Théia, tout autour de nous est magnifique. Si cette ville pouvait être à l'image de ma souffrance, Corinthe serait une ruine battue par les pluies.

– Tu dois parler à ton époux, peut-être voudra-t-il adoucir ta peine et te laisser vivre ici. Tu es la mère de ses enfants, il ne vous abandonnera pas.

– Que puis-je attendre d'un homme qui n'a pas pris la peine de m'annoncer lui-même mon infortune ?

– Garde confiance, les dieux, eux, ne t'abandonneront pas.

– Il n'y a pas de dieux.

– Oh Médée, comment peux-tu dire une chose pareille ! Prends garde, ils t'entendent ! Je suis sûre qu'ils sont résolus à t'aider. Ne vas-tu pas te battre ?

– Tu as raison Théia, l'interrompt Médée, il faut se battre, et c'est ce que je suis résolue à faire. Mais ici, je ne suis rien et je ne peux pas m'opposer à Créon, il est le plus fort. Je ne veux pas quitter cette ville, je ne veux pas quitter mes enfants. Je dois gagner du temps et il y a peut-être un moyen d'empêcher ce mariage...

Soudain Médée sent une petite main se glisser dans la sienne :

– Est-ce qu'on ne doit pas aller se promener ?

– Où est ton frère, Phérès ?

– Il regarde les insectes.

Médée aperçoit Merméros à quelques pas d'elle. Accroupi sur les talons, il suit des yeux un scarabée qui chemine sur un mur.

– Merméros, appelle-t-elle, viens mon fils.

Aussitôt le petit garçon abandonne le scarabée et rejoint sa mère.

– Je suis fatiguée, et c'est avec Théia que vous allez vous promener.

– Oh ! dit Phérès déçu et Merméros fronce le nez.

– Mais il s'agit d'une promenade très particulière, reprend Médée, vous allez vous rendre au palais.

– Au palais ? s'étonne la nourrice. Mais…

Médée lui fait signe de parler moins fort :

– Il faut que je sauve ce qui peut l'être Théia, chuchote-t-elle. Pourquoi Jason me fuit-il sinon parce qu'il est déchiré ? Je suis sûre qu'il me reviendra si seulement nous pouvons nous voir, nous parler. Je sais que ses sentiments pour moi l'emporteront. Mais avant tout, je dois montrer à Créon et à sa fille un signe d'amitié et de bienveillance. Créon me chasse de Corinthe parce qu'il a peur. Je dois lui faire comprendre que je ne m'oppose pas à son projet.

Elle se penche vers ses fils :

– Nous allons offrir une robe de noce à la fille du roi et c'est vous qui allez la lui porter. Ferez-vous cela pour moi ?

– C'est une bien grande promenade ! s'exclame Phérès ravi.

– Oui, dit Merméros.

– Allez vous préparer, Théia va vous rejoindre. Je vous verrai ce soir.

Les enfants partent en courant vers leurs appartements.

Médée prend la nourrice par les épaules et les presse avec fièvre :

– Tous mes espoirs sont entre tes mains Théia. Glaucé n'acceptera pas la robe si elle vient de moi mais les enfants sauront l'émouvoir. Il faut absolument qu'elle porte mon présent.

Un sourire complice éclaire les traits de la nourrice :

– Voilà de bonnes pensées, dit-elle, je suis sûre que le roi et sa fille seront sensibles à ton geste.

– Oh, ils s'en souviendront, tu peux me croire, répond Médée.

CHAPITRE 13
LA SENTENCE

Quelques heures à peine se sont écoulées depuis le départ des enfants et déjà Jason s'est fait annoncer. Jason enfin. Bientôt ils seront ensemble et il comprendra qu'il s'est trompé en la répudiant. Glaucé n'est rien, pas même une ombre entre eux, Médée a fait ce qu'il fallait pour cela.

Bientôt, Jason se tient devant elle mais ce n'est pas ce à quoi elle s'attendait, la colère déforme ses traits. Médée sent que son assurance l'abandonne. Phérès et Merméros sont aux côtés de leur père. Elle s'agenouille et les serre dans ses bras.

– Votre père vous ramène du palais les mains vides, dit-elle, il semblerait que la fille du roi ait accepté notre présent. A-t-elle dit si elle porterait la robe ?

– Oh oui ! Dès ce soir ! répond Phérès avec fierté.

– Qui espérais-tu apitoyer en faisant porter par nos enfants une robe de noce à Glaucé ? gronde Jason.

Médée se relève vivement :

– Certainement pas toi ! C'est seulement maintenant que tu oses te présenter ici, bouillonnant de colère et me faisant le reproche d'avoir offert à Glaucé une robe de noce. Je l'ai fait pour une seule raison, je ne veux pas que l'on fasse payer à Phérès et Merméros le ressentiment que je semble vous inspirer à tous.

– Cela ne t'évitera pas le bannissement ! dit rudement Jason.

Phérès regarde son père avec de grands yeux et aussitôt celui-ci se radoucit :

– Personne ne te veut de mal Médée, mais il faut que tu comprennes…

– Mon sort a été décidé malgré moi et c'est de la bouche de Créon que j'ai appris ta trahison. Est-ce par manque de courage ou par indifférence que tu n'as pas pris la peine de m'annoncer ton futur mariage ? Comment as-tu pu me trahir Jason ? Te souviens-tu de tes belles promesses ? J'entends encore ta voix me jurer ton amour et que rien ne pourrait nous séparer !

– Qu'aurais-tu fait seule en Colchide ? L'honneur m'imposait de te mettre à l'abri !

– Et quelle sorte d'honneur, noble Jason, te fait épouser la fille de Créon, me condamner à l'exil et me prendre mes enfants ?

– Je n'ai pas à justifier de mes actes !

– C'est très commode en effet ! Qu'y a-t-il a comprendre sinon que tu me sacrifies pour satisfaire tes désirs de pouvoir ?

– Que suis-je ici, sinon un exilé ! En épousant la fille du roi, ce que j'ai perdu à Iolcos, je le retrouve à Corinthe !

– Et pour cela tu es prêt à brûler tout ce qu'hier tu chérissais ? Pourquoi ne me l'as-tu pas demandé à moi le trône de Corinthe ? N'ai-je pas toujours fait ce que tu voulais ? Ne t'ai-je pas prouvé maintes fois mon amour ?

– Je ne veux pas de ton aide Médée. Tu devances mes désirs et le seul moyen que tu trouves jamais pour les satisfaire c'est le crime.

– Je n'étais pas une criminelle à tes yeux lorsque j'ai trahi ma patrie pour toi ! Il faut voir avec quelle fierté tu as brandi la Toison d'or devant l'équipage de l'*Argo* !

– Ce que tu as fait subir à Pélias me fait horreur !

– Mais tu voulais qu'il meure et tu n'es pas moins coupable que moi ! C'est ensemble que nous avons élaboré le plan qui allait le perdre. Et puisque c'est de crime dont tu veux parler Jason, ton bras a-t-il hésité avant de frapper mortellement Absyrtos mon frère ?

– Je n'ai fait que protéger notre fuite ! Et c'est toi-même qui m'as livré ton frère !

Médée sent les larmes lui monter aux yeux. Le petit Merméros regarde sa mère avec inquiétude et se serre contre ses jupes. Elle lui caresse les cheveux machinalement.

– Comme tu es injuste ! Oui je t'ai livré mon frère, c'est ce que tu voulais. Je n'ai fait que ce que tu voulais et ce n'est pas un crime puisque je l'ai fait par amour ! Et toi, tu m'as aimée parce que j'ai trahi mon père, parce que je t'ai livré mon frère, parce que pour toi j'ai fait tuer Pélias par ses filles !

– Écoute-toi Médée, à chaque fois que tu prononces le mot « amour », tu l'accompagnes de « meurtre » et de « trahison ».

– Demande-moi ce que tu veux Jason et je le ferai mais je t'en supplie ne m'abandonne pas !

– On ne peut pas aimer un monstre et c'est ce que tu es.

– C'est toi le monstre Jason. Ton union avec la fille de Créon n'effacera pas tes crimes ! Tu n'épouseras jamais Glaucé !

– Je n'ai pas besoin de ton assentiment. Je ne t'aime plus Médée et contre cela tu ne peux rien.

– Tu ne m'aimes plus Jason, mais nos enfants, les aimes-tu encore ?

– Ils sont ce que j'ai de plus cher.

Médée prend les enfants par la main et les entraîne vers ses appartements. Les petits se laissent emmener docilement.

– Laisse-les, dit Jason furieux, ils vont repartir au palais avec moi !

– C'est fini. Pour toi et pour moi Jason. Nous sommes morts. Tu vas souffrir autant que je souffre moi-même. Tu m'as tout pris, mais ce soir, à toi non plus il ne restera rien.

Et avant qu'il ait pu faire un geste, Médée referme les portes de ses appartements sur elle et sur les enfants. Stupéfié, Jason reste un instant sans réaction puis il comprend horrifié : les dernières paroles de Médée étaient une sentence. Il se met à marteler la lourde porte de ses deux poings mais elle ne cède pas. Impuissant, les poings ensanglantés, Jason hurle de désespoir.

CHAPITRE 14

LE CHAOS

Créon et Glaucé sortent du palais. Le vieux roi tient fièrement le bras de sa fille. Ils font quelques pas ensemble, mais soudain elle s'immobilise.

– Quel est ce bruit ? demande-t-elle.

Créon tend l'oreille :

– Je n'entends rien.

– On dirait, reprend Glaucé, les battements d'ailes d'un oiseau gigantesque.

Créon scrute le ciel. La nuit est tombée et de lourds nuages gris que la lune essaye de percer écrasent la ville. Cependant Corinthe est illuminée, chaque habitant a installé devant sa porte un flambeau.

– Ce n'est rien. Laisse-moi regarder la jeune fiancée.

Créon contemple sa fille. La robe que les enfants de Jason ont portée l'après-midi même au palais est magnifique. Glaucé est superbe, son teint diaphane rehausse encore la beauté du vêtement.

Mais Glaucé semble mal à l'aise, elle reste immobile, la tête baissée, les bras le long du corps comme si la robe l'empêchait de se mouvoir.

– Je ne sais pas, dit-elle, je ne crois pas...

De fines gouttes de sueur perlent sur son front pâle.

– J'ai tellement chaud. Et ces battements d'ailes, ne les entends-tu pas ? Ils sont plus forts que tout à l'heure... Je ne veux pas garder cette robe !

– Mais enfin Glaucé, pourquoi ? s'inquiète Créon.

– Je ne sais pas, elle m'étouffe, je sens des picotements sous ma peau.

La jeune femme est prise de panique :

– Oh père, il faut que j'enlève cette robe ! C'est comme si mon sang commençait à bouillir...

– Allons ma petite fille ! Calme-toi !

Mais Glaucé pousse des cris déchirants :

– La robe me brûle ! gémit-elle.

La jeune femme sanglote et tente fiévreusement d'arracher sa robe de noce. Mais chacun des morceaux d'étoffes que Glaucé parvient à détacher de son corps brûlant semble être instantanément remplacé par un autre.

La robe est vivante.

Glaucé suffoque :

– Père, hurle-t-elle, père !

La jeune femme tombe à genoux sur le sol et la robe s'enflamme.

Créon paralysé d'horreur regarde sa fille, la jeune fiancée transformée en torche vivante. Seul son visage est épargné par les flammes, un hurlement de douleur s'échappe de sa bouche entrouverte. Créon hurle lui aussi. Des soldats accourent en grand nombre, aucun d'eux n'ose s'approcher de Glaucé. Elle tend les bras vers Créon et sans hésiter il s'agenouille et la prend contre lui. Créon s'embrase à son tour. Le père et la fille meurent au même instant.

Des battements d'ailes se font entendre. Un char tiré par deux dragons ailés se reflète dans les yeux morts de Glaucé. Du haut du char, Médée contemple son œuvre. Celle qui avait cru pouvoir prendre sa place se consume dans sa robe de noce. La jeune fiancée est morte, personne ne pourra plus jamais l'étreindre. La robe de noce est son linceul.

Le feu gagne le palais, les soldats essayent de l'éteindre mais l'eau ravive l'incendie. Effrayés, ils finissent par s'enfuir, abandonnant le palais aux flammes.

Mais le feu ne s'arrêtera pas là, comme animé d'une volonté propre, il veut détruire Corinthe. Aussi rapide qu'une respiration, il s'insinue par les rues, les ruelles, pénètre dans chaque maison, ignorant les hurlements de ceux qu'il piège, les plaintes de ceux qui agonisent.

Des hommes armés fouillent les maisons. Bientôt ils oublient ce qu'ils cherchent, des victimes ou peut-être un coupable, quelqu'un à qui faire expier le crime innommable contre leur roi et sa fille.

Mais le feu est le plus rapide, Héphaïstos lui-même ne pourrait s'en faire obéir. Encore une fois, les soldats s'enfuient.

Ils passent devant un homme qui, poing dressé, ignorant la fournaise, lance des imprécations contre le ciel. La mort est là et donne aux plus désespérés le courage de maudire les dieux. À ses pieds deux petites silhouettes immobiles, comme endormies, des enfants peut-être, mais quel père laisserait ses enfants dormir à même le sol rocailleux ?

Les soldats s'enfuient et se perdent dans une ville qu'ils ne reconnaissent plus. La peur est la plus forte, elle crée des ennemis imaginaires, elle fait se battre les hommes entre eux, tuer celui avec qui hier encore, ils partageaient leur repas, tuer celle qu'hier encore, ils serraient dans leur bras, la folie meurtrière s'empare d'une ville entière.

Corinthe est dévastée par le feu et par elle-même.

Jason portant dans ses bras ses enfants sans vie erre dans Corinthe. Au loin le palais est en ruine et le feu a ravagé la ville sans que personne ne puisse l'arrêter. Épuisé, il dépose avec douceur les corps inanimés de Phérès et Merméros sur le sol rocailleux.

– Je voulais que chacun contemple mon malheur murmure-t-il, mais je ne peux plus vous porter... Relevez-vous, je vous en supplie, relevez-vous, vous êtes petits et légers, mais votre père ne peut plus vous porter.

Jason lève le poing au ciel :

– Médée ! hurle-t-il, Médée !

Sa voix se brise. Il tombe à genoux et passe une main tremblante dans les cheveux de ses garçons.

– Tout à l'heure, je vais vous ensevelir de mes mains, j'espère qu'ainsi vous trouverez le repos.

Il sanglote.

Soudain, une main se pose sur son épaule.

– Il ne faut pas rester là, dit une voix.

Jason relève la tête, un homme se tient près de lui. Ses vêtements sont couverts de cendre et son visage est noirci par les flammes mais Jason croit reconnaître dans ses traits un visage du passé.

– Orphée, murmure-t-il, elle les a tués...

– Tu fais erreur, je ne suis pas Orphée, répond l'homme avec douceur. Tu ne dois pas rester là, il faut fuir, je vais t'aider.

Jason ne répond pas. L'homme se penche au-dessus des corps de Phérès et Merméros.

– Par les dieux, c'est affreux ! s'exclame l'homme, les petits ne dorment pas, ils sont… Qu'est-il arrivé aux enfants ?

– Leur père les a tués, dit Jason, il y a bien longtemps, en Colchide…

Un char tiré par deux dragons ailés survole Corinthe et Médée contemple son œuvre.

Les dieux n'ont pas le pouvoir d'éteindre le brasier. Les dieux n'ont pas le pouvoir d'empêcher les hommes de se battre entre eux comme jadis en Colchide se sont battus les guerriers issus des dents de dragon. Le temps ne s'arrêtera pas. Les dieux n'ont aucun pouvoir face à la fureur d'une femme désespérée.

Les dieux n'ont pas le pouvoir de faire revivre les morts.

Généalogie de Médée

Ouranos

Hypérion + Théia

Hélios (le Soleil

Minos + Pasiphaé

Circé

Ariane

Phèdre

Minotaure

Gaïa

Océan + Téthys

\+ Perséis

Persès

Aétès + Idyie

Hécate

Jason + Médée

Absyrtos

Phérès

Merméros

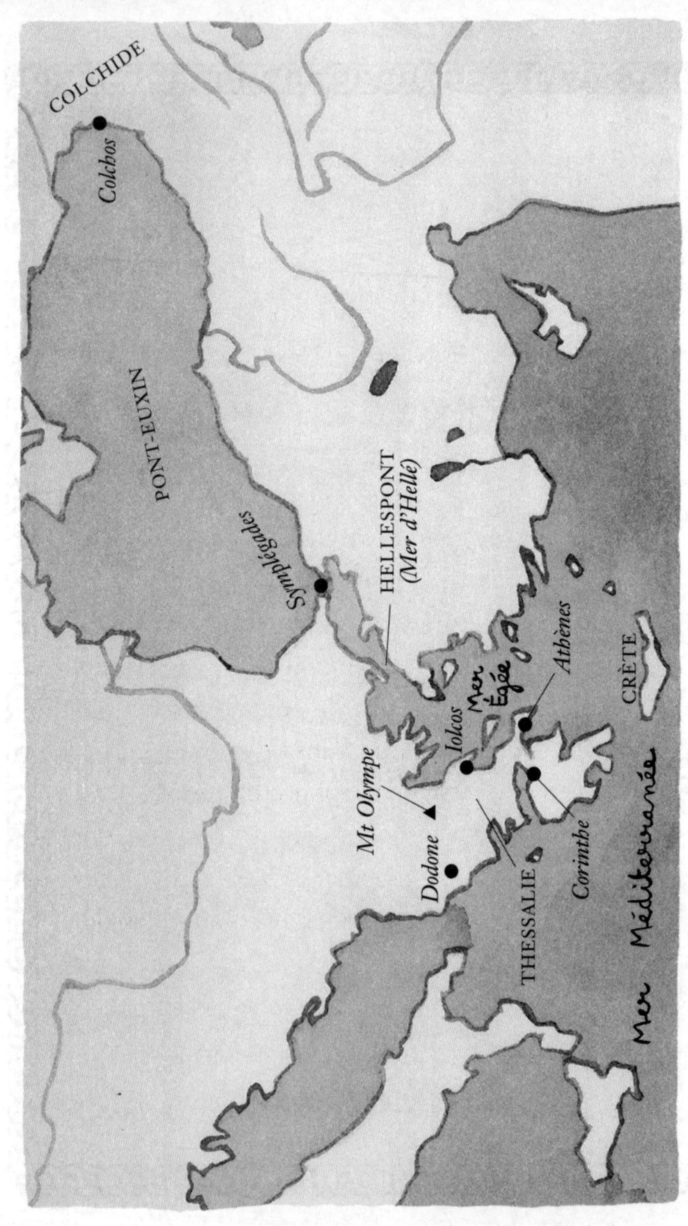

- Le monde de Médée -

POUR MIEUX CONNAÎTRE MÉDÉE

L'ORIGINE DE MÉDÉE

Le personnage de Médée est d'abord un **personnage** entièrement **grec**, même si on la nomme souvent « la Colchidienne ». Son nom est à rapprocher d'un verbe (*mèdomai*) qui signifie *réfléchir, machiner, inventer...*

Son père Æétès, fils du Soleil, avait reçu le royaume de Corinthe en partage, avant de régner sur la Colchide. Ensuite, elle-même apparaît dans la légende – grecque – de Jason, où elle n'est qu'auxiliaire du héros.

Par ailleurs, un culte rendu aux « enfants de Médée », à Corinthe, a peut-être été le départ de la deuxième partie de la légende, où Médée joue le rôle principal.

Enfin Médée appartient aussi au cycle des légendes athéniennes, puisque après la mort de ses enfants elle se réfugie auprès d'Égée, tente d'assassiner Thésée, avant de finalement retourner en Asie...

Son ascendance, son caractère de magicienne (elle est parente des plus célèbres magiciennes de la mythologie grecque) montrent clairement une **origine légendaire**. Toutefois, l'histoire de Médée peut être aussi le reflet d'une vieille **réalité historique** : la colonisation des rivages du Pont-Euxin (mer Noire actuelle) par les Grecs, et la rencontre de civilisations différentes de la leur. Médée nous renseigne ainsi sur leur vision de l'étranger.

Médée et les Argonautes : la poésie

Si Médée apparaît déjà dans une épopée* archaïque, composée avant le Ve siècle av. J.-C. (et dont il ne reste que des fragments), elle nous est d'abord connue à travers la ***IVe Pythique*** de Pindare (518-438 av. J.-C.), et surtout avec l'épopée des ***Argonautiques*** d'Apollonios de Rhodes (IIIe s. av. J.-C.). Tous deux montrent Médée sous les traits d'une grande magicienne, séduite par Jason et traître aux siens par amour. Apollonios insiste sur les tourments de la passion qui s'empare de Médée. Mais aucun des deux poètes n'aborde l'épisode corinthien (avec le meurtre de ses enfants).

Médée et ses enfants : la tragédie

À Corinthe, Médée est abandonnée par Jason et ses enfants trouvent la mort. L'un des trois grands Tragiques athéniens, Euripide (484-406 av. J.-C.), fait de Médée, mère aimante, la meurtrière volontaire de ses enfants

(***Médée***, tragédie* de 431). Il accentue ainsi le caractère sauvage de l'héroïne, et surtout la profondeur et la violence de sa douleur. À côté d'elle, Jason a bien peu de cœur et de caractère !

Il semble que la mort des enfants était, à l'origine de la légende, le fait des Corinthiens, qui se vengeaient par là du meurtre de leur roi et de Glaucé (nommée aussi Créüse) par Médée. Ils auraient ensuite accusé Médée pour se disculper. On disait aussi que ce meurtre était bien dû à Médée, mais soit sous l'emprise de la folie envoyée par un dieu, soit pour éviter à ses enfants une mort plus atroce. Toutefois, c'est la Médée meurtrière d'Euripide qui s'est imposée et reste dorénavant dans les esprits.

LES VOYAGES DE MÉDÉE À TRAVERS LES ARTS

Dès l'Antiquité, l'histoire de Médée a suscité un intérêt qui ne s'est jamais démenti. Maintes fois reprise par des artistes grecs, elle a ensuite été évoquée ou illustrée, depuis Rome jusqu'à nos jours, à travers tous les arts et la Colchidienne est l'héroïne d'œuvres innombrables. Nous n'en retiendrons que quelques-unes.

Poésie

Médée est évoquée par des poètes aussi célèbres que :
- Ovide (***Les Métamorphoses***, VII), poète latin du Ier s. av. J.-C. ;
- Dante (***La Divine Comédie***), et Boccace (***Les Femmes célèbres***), poètes italiens du XIVe siècle.

Théâtre

- ***Médée***, tragédie de Sénèque (Romain du Ier s. ap. J.-C.) ;
- ***Le divin Jason*** (1634) de Calderon (Espagne) ;
- ***Médée*** (1635) et ***La Conquête de la Toison d'or*** (1661), de Pierre Corneille ;
- ***L'Hôte*** (1818), ***Les Argonautes*** (1819) et ***Médée*** (1820), trilogie de Franz Grillparzer (Autriche) ;
- ***Médée*** (1924-1926) de Hans Henny Jahnn (Allemagne) ;
- ***Médée*** (1946) de Jean Anouilh ;
- ***Rivage à l'abandon, Matériau-Médée*** et ***Paysage avec Argonautes*** (1982-1984) de Heiner Müller (Allemagne) ;
- ***Médée Kali*** (2003) de Laurent Gaudé.

Opéra

- Marc-Antoine Charpentier en 1693, sur un livret de Thomas Corneille,
- Luigi Cherubini en 1797, sur un livret inspiré de Pierre Corneille,
- et Darius Milhaud en 1939, ont chacun composé une ***Médée***.

Cinéma

- ***Médée*** (1969) de Pier-Paolo Pasolini (Maria Callas joue le rôle-titre).

Roman

- ***Médée [voix]*** (1997) de Christa Wolf (Allemagne) ;
- ***Médée la Colchidienne*** (2002) de Marie Goudot.

Arts plastiques

La plupart du temps, c'est le meurtre commis par Médée qui retient l'attention des artistes :

- ***Médée tuant son fils*** : amphore grecque de Campanie (IVe s. av. J.-C.) ;
- ***Médée furieuse***, tableau d'Eugène Delacroix (1862) – tous deux au musée du Louvre ;
- ***Médée méditant après*** (ou ***avant***) ***le meurtre de ses enfants*** : peintures de Pompéi et d'Herculanum (Ier s. av. J.-C.), musée archéologique de Naples.

Parfois pourtant, Médée est représentée en compagnie de Jason près de la Toison d'or :

- ***Médée et Jason*** de Gustave Moreau (XIXe s.), musée Gustave Moreau à Paris.

MEDÉE LA MEURTRIÈRE

Si le personnage de Médée a si souvent inspiré les artistes, c'est qu'il est fascinant dans sa complexité. Contrairement à la plupart des héroïnes, Médée nous est connue à différents moments de son existence, qui scandent sa vie de femme : la rencontre amoureuse, la vie avec son amant à la recherche d'un havre, la maternité, l'abandon. Elle passe de la « barbarie » à la « civilisation », qu'elle connaît en même temps que l'exil. À chacune de ces étapes, le personnage s'enrichit, se développe. Médée va jusqu'au bout de « sa » vérité, de ses excès, au-delà même de l'imaginable ou du supportable, puisqu'elle commence par tuer son frère, et finit par tuer ses enfants.

Tout écrivain qui fait le portrait de Médée fait en même temps son procès : coupable ou non-coupable ? Avec ou sans circonstances atténuantes ? Pourquoi provoque-t-elle tant d'intérêt ?

Tueuse en série...

Médée est d'abord une criminelle, qui élimine tous les obstacles qui se dressent devant elle, par n'importe quel moyen.

• Quels sont les **meurtres** imputables à Médée ?
(Nous n'évoquerons ici, de la vie de Médée, que la période contée dans ce roman.)

– La première atrocité dans la vie de Médée, c'est le meurtre de son frère **Absyrtos**. Il y en a plusieurs versions possibles. Soit il est à la poursuite des Grecs en fuite, sur le point de les rattraper, et elle le laisse tuer par Jason, soit c'est elle qui réclame ce meurtre. Soit – et c'est la version la plus atroce –, Absyrtos s'est embarqué avec Médée sur la nef *Argo*, et, pour retarder le roi son père, qui poursuit les fuyards, elle choisit de tuer son frère et dépèce son corps pour en éparpiller les morceaux dans le sillage du navire. Æétès en effet interrompra sa chasse pour recueillir les restes de son fils, et lui offrir une sépulture.

– À peine cité dans le roman, le meurtre de **Talos** a lieu pendant le retour des Argonautes. Talos est un géant de métal agressif et dangereux, et Médée doit mobiliser toute sa puissance magique pour en venir à bout. Cela renforce son aspect inquiétant.

– Puis vient la mort de **Pélias**. Ce qui est extrêmement choquant alors, c'est la méthode utilisée pour ce meurtre. Médée fait appel là encore à la magie, et décide ainsi les propres filles de Pélias à tuer leur père, de façon fort sanglante.

– Vient ensuite le double meurtre de **Glaucé** et de **Créon**. Là encore, c'est la magie qui provoque la mort (après d'atroces souffrances), l'incendie du palais, voire la destruction de la cité tout entière !

– Enfin, le plus terrible, le meurtre qui fait de Médée un personnage monstrueux : celui de ses enfants. À noter que cette fois, l'héroïne n'utilise pas la magie (sauf pour s'enfuir ensuite du champ de ruines qu'elle laisse derrière elle), mais le poignard. Comme dans toute société patriarcale, Jason considère que ses enfants lui appartiennent à lui, le père. C'est pour cette raison que Médée décide de les tuer. Puisque de toute façon elle va les perdre... Ils ne sont plus – sans même qu'elle s'en rende compte – que des instruments qui vont lui permettre, en les tuant, de faire souffrir leur père, autant qu'il l'a fait souffrir, elle. Même si on nous dit que Médée aime ses enfants, cette décision reste criminelle, et difficilement excusable...

• L'autre crime : la **trahison**.

Le premier de tous les crimes pour une fille, qui plus est fille de roi, c'est bien entendu de trahir sans retenue ni décence – par amour – son père et sa patrie. Elle permet la victoire de Jason sur Æétès. L'aspect criminel de cette trahison est accentué, dans certaines versions, en faisant de Jason le meurtrier du gardien de la Toison d'or, après que Médée l'a endormi par un charme.

• La faute originelle : la **Barbare**.

Si le mot « barbare » signifie d'abord pour les Grecs celui qui parle « *blabla* » (c'est-à-dire un langage incompréhensible), donc simplement étranger, nous savons qu'il a rapidement évolué, déjà chez les Grecs, jusqu'à signifier *primitif, arriéré, sauvage*, et – de nos jours – *cruel, féroce, inhumain*.

Quel meilleur exemple de « Barbare » que Médée ? Jeune étrangère naïve quand Jason la rencontre, elle multiplie ensuite les crimes avec beaucoup de naturel, comme si là résidait sa véritable nature : le crime. Soit qu'elle ignore tout du Bien et du Mal, soit que cela lui indiffère. La plupart des auteurs mettent ainsi en relief la qualité d'étrangère de Médée (Anouilh par exemple, en fait une « bohémienne », qui sème le trouble...).

▩ ... avec circonstances atténuantes...

Dès l'Antiquité, Médée a de nombreux défenseurs, qui, sans justifier la meurtrière, lui trouvent des excuses.

• La première raison qui permet de comprendre Médée est **l'intervention des dieux**, plus exactement des déesses. Selon les Grecs, l'**amour** passionné qui la pousse à sauver Jason en trahissant père et patrie (et même en dépeçant son frère) lui a été inspiré par Aphrodite et Éros, à la demande d'Héra, la protectrice du héros. Que peut une mortelle contre la volonté des dieux ?

• Ainsi, Médée n'est qu'un instrument dans la main des déesses. Tant que Jason a besoin d'elle, sa magie et sa puissance sont à son service. C'est bien pour ces qualités qu'elle a été choisie par Héra ! En effet la magie de Médée est d'un grand **secours pour Jason** (quand il veut se venger de Pélias) comme pour les Argonautes (poursuivis par Absyrtos ou attaqués par Talos), et elle ne détruit, généralement à leur demande, que leurs ennemis.

• Sa magie d'ailleurs n'est pas que destructrice, au

contraire ! Dans certaines versions du récit, on nous apprend qu'elle rajeunit **Æson**, le vieux père de Jason ; parfois même elle le ressuscite, après que Jason l'a trouvé mort à son retour, parce que Pélias l'a obligé à se tuer. C'est alors ce miracle qui convainc les filles de Pélias de laisser Médée rajeunir leur père.

• Et s'il est avéré que jusqu'alors elle n'a fait appel au meurtre que pour défendre ou aider Jason, on peut comprendre qu'elle en fasse autant quand elle-même se sent menacée. Or Créon et Glaucé ne sont-ils pas ses ennemis à elle ? En tout cas, c'est ainsi qu'elle se **venge** d'eux – et de Jason.

• D'ailleurs, pour ces meurtres, la meilleure des excuses de Médée, c'est la personnalité même de **Jason**, lâche et ingrat. Étrange récompense pour celle qui lui a rendu tant de services, à qui il a fait tant de serments d'amour, que de l'abandonner en pays étranger pour une nouvelle épouse ! Comme s'il jetait un instrument hors d'usage... On comprend qu'elle ait envie de se venger. Mais en tuant ses enfants ?

• Médée est **une mère**. Comment imaginer qu'elle a pu choisir de se venger en tuant ses propres enfants ?
Nous avons vu qu'il existe d'autres versions de la légende, sans doute plus anciennes.

Dans l'une, ce sont les Corinthiens qui lapident les enfants, pour les punir d'avoir apporté le cadeau empoisonné à Glaucé. Dans d'autres, c'est bien Médée qui les tue, mais soit parce que la douleur l'a rendue folle – et elle ne sait plus ce qu'elle fait ; soit parce qu'elle sait qu'une mort atroce les attend, et elle préfère pour eux une mort rapide.
Pourquoi est-ce la version d'Euripide qui est devenue la plus célèbre ? Parce que le public voulait un acte qui condamne définitivement Médée, alors que les autres meurtres pouvaient finalement être excusés ? On peut se le demander...

... ou porte-drapeau de la revanche des opprimé(e)s ?

Pour bien des auteurs, ces « circonstances atténuantes » l'emportent sur les crimes, et les excusent totalement. En Médée se reconnaissent ainsi diverses catégories d'opprimé(e)s. La solution adoptée alors par les auteurs qui souhaitent la défendre est de ne retenir de Médée que les actes positifs, et de gommer ceux qui sont négatifs – ou de les imputer à quelqu'un d'autre.

• Médée est **une femme**. Dans la plupart des sociétés dites « patriarcales » (c'est le cas en Grèce), une femme

dépend toujours d'un homme : son père ou son mari. Elle ne peut rien contre eux s'ils la maltraitent. Ainsi Jason abandonne Médée sans remords, et si les Corinthiennes la plaignent (mais les Corinthiens, non), elles n'imaginent aucune solution à sa douleur. Une femme ne peut que subir !
Or, Médée ne subit pas. Du début à la fin, elle agit. D'abord pour Jason, puis pour elle-même. Elle refuse de céder, de s'attendrir. L'arme même qu'elle emploie à la fin est une arme d'homme, le poignard. Médée serait-elle une féministe avant l'heure ?...

• Médée est **une étrangère**. Elle n'a donc aucune connaissance des mœurs du pays qui l'accueille, et aucun droit : sait-elle, par exemple, que l'union d'un Grec avec une étrangère (à l'époque classique, quand écrit Euripide) n'a aucune valeur juridique ? Elle a la candeur – et la faiblesse – de se fier aux serments de Jason. La suite lui prouve qu'elle a eu tort. En outre, à qui une étrangère peut-elle se fier, qui va l'aider, prendre son parti, alors qu'elle est loin des siens, de ses défenseurs naturels ? Jason est sa seule protection, et nous voyons ce que vaut à la longue cette protection !

• Médée est **une « colonisée »**. Originaire de Colchide, un pays barbare, elle est utilisée sans vergogne par le Grec Jason et par Héra, protectrice attitrée des plus

grands héros grecs (lors de la guerre de Troie par exemple). Euripide fait même dire à Jason, quand Médée lui reproche son abandon malgré l'exil où elle l'a suivi, qu'elle doit plutôt lui être reconnaissante, puisque c'est grâce à lui qu'elle connaît la Grèce et la civilisation !
Une telle opposition rappelle furieusement celle qui naît entre colon et colonisé. C'est ce que veut dire H.H. Jahnn quand il fait de Médée une « négresse » humiliée et bafouée par des Blancs... « civilisés » !

• Finalement, Médée est **une paria**, elle occupe la dernière place de la cité : femme abandonnée, méprisée, insultée même... Elle a bien tenté de garder la position qui lui était dévolue : femme et mère. Or c'est quand elle n'use plus de son pouvoir (elle n'a plus tué depuis longtemps !) que Jason se croit autorisé à la rejeter.

• Mais, contrairement à la plupart des opprimés, Médée a gardé toute sa capacité d'action, elle a pour elle la **puissance** que lui confère la **magie** ! Car c'est bien cela que signifie son statut de magicienne : dans une société qui refuse tout droit aux femmes, aux étrangères, elle a des pouvoirs supérieurs à celui des hommes du pays. Quelle revanche pour tous ceux et celles qui sont trop faibles pour se révolter comme elle !

MÉDÉE LA MAGICIENNE

En effet, l'autre caractéristique essentielle de Médée est la pratique de la magie.

Or, au fil des siècles, la magie ne jouit pas toujours de la même considération. Aux temps archaïques, la magie n'est pas très éloignée de la sagesse, elle donne un pouvoir né de la connaissance. Pour Homère, le premier écrivain grec (VIIIe s. av. J.-C.), la magie est l'apanage des Égyptiens, les plus admirables des étrangers (aux yeux des Grecs), dont la civilisation est la plus accomplie. Ainsi les miracles opérés par Médée montrent son grand pouvoir. Et ce pouvoir est bienvenu, puisqu'il lui permet de sauver Jason et de lui procurer la victoire. D'ailleurs, dans d'anciennes versions, il est dit que Zeus admire Médée pour ses actions, et qu'il est près de l'aimer. C'est elle qui le refuse, s'attirant ainsi les bonnes grâces d'Héra ! Étrange renversement de situation, qui montre bien que les Grecs déjà ne concevaient pas tous Médée de la même façon.

Plus tard par contre, dans un monde plus régulé, où il ne fait pas bon inverser (ou renverser) l'ordre des choses, la magie perd cet aspect positif, passe peu à peu du côté du Mal et, avec le christianisme, devient purement et simplement diabolique. On ne retient alors du rituel accompli par Médée pour régénérer son beau-père que les pratiques sanglantes qui vont lui permettre de tuer. Ce n'est plus de la magie, mais de la sorcellerie, un moyen pour elle de passer outre la loi humaine et divine.

LE MYTHE DE MÉDÉE

Comme nous venons de le voir, les versions de la légende de Médée sont innombrables. Elles autorisent plusieurs interprétations, qui dépendent de l'époque où elles ont été écrites, des convictions de leur auteur. Il s'agit donc bien d'un mythe.

Nous ne nous attarderons pas sur ce qui est commun à Médée et à d'autres héroïnes de la mythologie : comme Phèdre, Médée est l'instrument d'une déesse indifférente à sa souffrance ; comme Ariane, elle est « séduite », elle trahit sa patrie pour le beau héros grec avant d'être « abandonnée »... Nous pouvons d'ailleurs remarquer que ces héroïnes sont toutes des étrangères...

Mais à la différence des deux Crétoises, Médée ne pleure pas longtemps, elle se suicide encore moins : elle se venge, et se venge en tuant. Comme un homme. Et elle se venge du non-respect d'un serment, d'un contrat. C'est-à-dire qu'elle s'estime l'égale de Jason.

Médée agissante, c'est Médée la Magicienne. Sans doute était-ce une marque de puissance divine à l'origine du mythe (comme Circé sa tante, comme la déesse Hécate, dont on fait parfois sa mère) puisqu'elle est capable de donner la vie. Mais au fil du temps, nous l'avons vu, ce pouvoir est devenu inquiétant, comme inspiré par le diable !

Il est intéressant de saisir toutes les modifications qui ont noirci le personnage de Médée. Est-ce pour montrer à quel point une femme puissante est redoutable ?

Quant à Médée meurtrière, elle inspire beaucoup les psychanalystes. La psychanalyse, qui recherche le sens profond d'un mythe pour comprendre les ressorts de l'esprit humain, trouve en Médée un personnage de choix. Une femme qui tue ses enfants pour blesser son mari…

Pour Alain Depaulis (*Le complexe de Médée*, 2002), cette réaction (au sens figuré : il s'agit rarement de tuer réellement) est fréquente quand une mère est abandonnée.

Et pourquoi se limiter aux mères ? Certains enfants du divorce, ballottés et blessés sans le vouloir par leurs parents qui souffrent, font irrésistiblement penser aux enfants de Médée…

Dans tous les cas, Médée dit quelque chose d'essentiel sur la femme, sur sa relation amoureuse – dans la durée –, et sur sa place dans la société.

Il n'est pas étonnant que le mythe ait une telle postérité, qui n'est sûrement pas près de s'éteindre ! •

Lexique

Aphrodite : née d'Ouranos (le Ciel) et de l'écume de la mer, elle est déesse de la beauté et de l'amour. C'est elle qui inspire l'amour au cœur des hommes, aidée parfois de son fils Éros (le Désir amoureux).

Arès : fils de Zeus et d'Héra, dieu de la guerre et de l'ardeur meurtrière.

Barbare : nom donné par les Grecs à ceux qui parlaient une autre langue que le grec, et donc étrangers à leur civilisation (qui leur semblait la seule civilisation digne de ce nom).

Charybde, Scylla et les sirènes : monstres marins. Charybde avalait la mer et les navires autour d'elle puis les vomissait à intervalles réguliers ; juste en face, Scylla, monstre à six têtes, dévorait les marins qui étaient à sa portée. Impossible de franchir ce passage (le détroit de Messine ?) sans y laisser des victimes. Les sirènes, quant à elles, à tête de femme sur corps d'oiseau, ensorcelaient de leurs chants les marins qui venaient s'échouer sur leur îlot pour y mourir.

Ces créatures montrent à quel point les Grecs redoutaient la mer. Elles furent rencontrées par les grands voyageurs mythiques : les Argonautes au cours de leur périple (le premier aux yeux des Grecs) et Ulysse au cours de son « Odyssée ».

Circé : magicienne célèbre et redoutée, fille du Soleil comme Æétès. Elle transforme en pourceaux les compagnons d'Ulysse. Seul le héros évite le piège, et sauve ses hommes.

Dodone : sanctuaire oraculaire de Zeus. Le dieu répondait aux questions des pèlerins en faisant bruire le feuillage des chênes sacrés. Ses prêtres interprétaient ce bruissement pour transmettre la parole divine.

Enfers : séjour des morts (il n'y a pas, chez les anciens Grecs, d'opposition du type paradis/enfer). On l'appelle aussi : *chez Hadès* ou *royaume d'Hadès*, d'après le nom du dieu des morts. Contrairement à ce qui se passe selon d'autres religions, les morts n'ont plus vraiment d'existence, ce ne sont plus que de vagues fantômes.

Plusieurs fleuves parcourent les Enfers, dont le principal est le Styx. Ses eaux ont un pouvoir magique de vie (elles rendent invulnérable le mortel qui y est plongé) et de mort (les dieux qui se parjurent après avoir fait un serment « par le Styx » sont comme paralysés pendant dix « grandes » années (soit dix mille ans, ce qui correspond à la mort pour des immortels).

En outre, pour certains, le Styx forme la frontière des Enfers (pour les autres, c'est l'Achéron) que le passeur Charon faisait traverser aux morts sur sa barque contre un droit de passage d'une obole (monnaie grecque).

Épopée : très long poème qui retrace les aventures de héros aux qualités surhumaines (les *Superman* de l'époque), confrontés à des adversaires et à des dangers tout aussi inouïs. Ces poèmes, avant d'être fixés par l'écriture, étaient récités lors des fêtes, des cérémonies...

Héphaïstos : fils de Zeus et d'Héra. C'est le dieu du feu et de la forge, dieu des techniques et des arts. Il est capable de donner vie aux objets. C'est lui qui forge les armes des plus grands héros, le Grec Achille ou le Troyen Énée.

Héra : sœur et épouse de Zeus, elle est la déesse protectrice du mariage et des femmes mariées. Elle est terriblement jalouse, et il faut dire qu'avec Zeus, elle a de quoi l'être ! Elle poursuit rivales et ennemis d'une haine tenace. Mais elle aide efficacement les héros qu'elle aime.

Héraclès : le plus grand héros grec, fils de Zeus et d'une mortelle, Alcmène. Souvent plus connu sous son nom latin, Hercule. Il est célèbre pour ses « travaux », qui l'ont conduit du Péloponnèse, dont il est issu, jusqu'aux confins du monde connu, et même jusqu'aux Enfers. Les dieux le reçoivent après sa mort sur l'Olympe, eu égard à ses exploits, ses vertus et aux souffrances endurées.

Hermès : fils de Zeus et de Maïa, coiffé d'un casque et de sandales ailés, il est le messager des dieux, de Zeus particulièrement. Il est aussi dieu protecteur des voyageurs, des commerçants et... des voleurs. Enfin, c'est lui qui est chargé d'accompagner les morts au royaume d'Hadès.

Muses : filles de Zeus et de Mnémosyne (la Mémoire), elles sont neuf. Elles chantent en chœur pour les dieux de l'Olympe, le plus souvent sous la direction d'Apollon. Elles inspirent les poètes, et peu à peu, chacune s'est vu attribuer un domaine particulier : Calliope la poésie épique, Clio l'histoire, Polhymnie la poésie lyrique, Euterpe la flûte, Terpsichore la danse, Érato la poésie amoureuse, Melpomène la tragédie, Thalie la comédie et Uranie l'astronomie.

Olympe : le plus haut mont de Grèce (2 917 m), au sommet souvent caché par les nuages. C'est là que résident les dieux de la dernière génération, ou « Olympiens », dont le roi – Zeus – a imposé à l'univers son ordre actuel.

Oracle : réponse donnée par un dieu à ceux qui le consultent, généralement dans son sanctuaire ; désigne aussi ce dieu, son interprète ou le sanctuaire où il rend ses oracles.

Sacrifier : offrir à un dieu un ou des animaux, voire un être humain, qu'on égorge en son honneur. Les sacrifices humains étaient considérés par les Grecs de l'âge classique comme un signe de barbarie. On en trouve toutefois de nombreuses traces dans la mythologie (Iphigénie, par exemple).

Tragédie : forme théâtrale née à Athènes au VIe s. av. J.-C. et qui s'épanouit au Ve. Elle était représentée lors de grandes fêtes religieuses. Chaque pièce mettait en scène un épisode de la vie d'un héros, menacé par des forces supérieures, dieux ou destin. Pendant toute la pièce, ce personnage cherche à échapper à cette menace, en vain. Rien n'apaise les dieux : le héros est rattrapé et écrasé par son destin.

Zeus : roi des dieux, dieu du ciel et de la foudre. Il est le garant des lois et des serments, et protège suppliants, étrangers et mendiants. Dieu volage, il ne peut résister au charme féminin, chez les mortelles comme chez les déesses. Il est frère ou père de presque tous les Olympiens (dieux qui résident sur le mont Olympe), et père de nombreux héros.

L'auteur,
VALÉRIE SIGWARD

Quand elle ne fait pas des lumières pour le théâtre ou la danse, Valérie Sigward écrit. Ce qui ne veut pas dire que lorsqu'elle n'écrit pas, elle fait des lumières pour le spectacle, non, quelquefois elle part en vacances aussi, et pendant les vacances, elle lit.

C'est de cette façon qu'elle a découvert *Les Métamorphoses d'Ovide* et ce texte magnifique lui a donné envie d'explorer à son tour la mythologie. Après *Le Secret de Phèdre* (coll. Histoires noires de la mythologie, Éditions Nathan), *Médée la magicienne* est son second texte écrit pour la jeunesse.

Valérie Sigward est aussi l'auteur de nombreux romans, *Comme un chien, Dans la chambre de silence, Immobile, La fugue, Loin, chez personne, Markus, presque mort* (Éditions Juilliard) et *Les Bizarres* (Syros).

Table des matières

Dans la même collection

Œdipe le maudit
Marie-Thérèse Davidson

Un Piège pour Iphigénie
Évelyne Brisou-Pellen

Les Cauchemars de Cassandre
Béatrice Nicodème

Les Combats d'Achille
Mano Gentil

Ariane contre le Minotaure
Marie-Odile Hartmann

Le Secret de Phèdre
Valérie Sigward

Orphée l'enchanteur
Guy Jimenes

Rebelle Antigone
Marie-Thérèse Davidson

Hector, le bouclier de Troie
Hector Hugo

Les Brûlures de Didon
Gilles Massardier

Le Bûcher d'Héraclès
Hector Hugo

La Quête d'Isis
Bertrand Solet

Prométhée le révolté
Janine Teisson

Les Larmes de Psyché
Léo Lamarche

Persée et le regard de pierre
Hélène Montardre

Thésée revenu des Enfers
Hector Hugo

Zeus à la conquête
de l'Olympe
Hélène Montardre

L'amère vengeance
de Clytemnestre
Michèle Drévillon

Ulysse l'aventurier
des mers
Hélène Montardre

Romulus et Rémus
Les fils de Mars
Guy Jimenes

N° d'éditeur : 10196898 – Dépôt légal : avril 2013
Imprimé en Italie par «La Tipografica Varese S.p.A.» Varese